Markus Kobold

LIQUEURS d'herbes et EAUX-DE-VIE MÉDICINALES

Comment faire de l'eau-de-vie aux pousses de sapin ou au raifort, du ratafia de basilic, de l'élixir de café, du génépi...

D1319729

© 1999 pour l'édition originale publiée par Demetra S.r.l. sous le titre
Liquori d'Erbe e Grappe Medicinali

RÉALISATION ÉDITORIALE : **EDITO AG. ED.** (VR)
Photographies : Archivio DEMETRA, Marco MORBIOLI
Maquette : Elena DAL MASO

Nous tenons à remercier Arnoldo et Natalina Altissimo pour leurs précieux conseils, ainsi que Art Gallery (Vérone) qui a si aimablement fourni les verres pour la dégustation des liqueurs.

© 2001 pour l'édition française publiée par MAXI-LIVRES Éditions

Traduction de l'italien : Anne GUGLIELMETTI
Réalisation et coordination éditoriale : BELLE PAGE, Boulogne
Adaptation PAO : CRITÈRES

Tous droits réservés. Aucune partie de ce livre ne peut être reproduite sous quelque forme ou par quelque moyen électronique ou mécanique que ce soit, y compris des systèmes de stockage d'information ou de recherche documentaire, sans l'autorisation écrite de l'éditeur.

Imprimé en Italie
ISBN 2-7434-1770-6

SOMMAIRE

APERÇU HISTORIQUE

Le terme « alcool », qui désigne dans son acception la plus large toute espèce de spiritueux, dérive de l'arabe *al-kohl*, nom d'une poudre très fine utilisée comme fard : le khôl. C'est par analogie avec la finesse de cette poudre que les substances extraites par distillation du vin et d'autres jus mis à fermenter, considérées comme leur essence ou leur partie la plus subtile, ont pris le nom d'alcool.

► On ignore la date exacte des premières tentatives de distillation, bien que des documents attestent l'existence de ce procédé en Perse sassanide, au IXe siècle. Le *crisopea* de Cléopâtre, alambic rudimentaire permettant d'obtenir des essences de fleurs et d'herbes aromatiques entrant dans la composition de parfums et de baumes, a certainement été inventé au IIe siècle avant J.-C. Mais le plus ancien ouvrage traitant de la distillation des substances alcooliques date de 1100, quand ce procédé a été décrit et codifié par l'école de Salerne, à l'époque l'une des plus importantes d'Europe. Les premiers alambics avec réfrigérant et serpentin seront mis au point deux siècles plus tard.

► Au Moyen Âge, la distillation de ce que l'on appelle alors l'*aqua vitae* est l'apanage, à des fins thérapeutiques, des moines et des alchimistes, tels le catalan Raymond Lulle (1233-1315) ou Arnaud de Villeneuve (1235-1313) : l'eau-de-vie est un élixir de longue vie et, grâce à elle, on peut conserver les plantes médicinales sous forme de teintures. Au XVIIe siècle, la vente de l'eau-de-vie est encore du seul ressort des apothicaires.

En France, la possession d'un alambic est interdite aux particuliers, excepté aux bouilleurs de cru, en vertu d'un privilège ancien.

► Aujourd'hui, le terme « eau-de-vie » désigne toute boisson alcoolique obtenue par la distillation du vin, du marc de raisin, du suc de fruits, de baies ou de céréales. Ce terme générique recouvre une grande variété de boissons à haute teneur en alcool dont les dénominations varient en fonction de leur zone de production et des in-

grédients entrant dans leur préparation. Les « grandes » eaux-de-vie, tel le *cognac* français, issu de vins blancs produits en Charente, les *brandys* anglais ou *l'aguardiente* espagnole, sont exclusivement fabriquées à partir de la distillation du vin.
En revanche la *grappa* italienne, considérée il y a peu encore comme une eau-de-vie « du pauvre », est un distillat de marc de raisin. Le *rhum* est obtenu à partir de la mélasse issue de la canne à sucre et le *whisky* à partir de moûts fermentés d'orge, de seigle ou de maïs. Le *gin* aussi est issu de la distillation d'une préparation fermentée de céréales qui, aromatisée avec des baies de genièvre, est distillée une seconde fois. 
Le moût fermenté de blé est utilisé pour la distillation de la *vodka*, dont on sait qu'elle est la cause principale de l'alcoolisme très élevé dans les pays de l'Est.
Typiquement normand, le *calvados* est un distillat de cidre ; quant à la célèbre *tequila* d'Amérique centrale, elle est obtenue en distillant le *mescal*, lui-même distillé à partir du *pulque* ou jus fermenté d'une plante d'origine mexicaine : l'agave.

La production d'alcool et la loi

En France, la législation en matière d'alcool est stricte. Elle classe les boissons en groupes de 1 à 5 selon le degré d'alcool pur qu'elles contiennent. Les boissons sans alcool appartiennent au groupe 1. Dans le groupe 2, on trouve le vin, la bière, les cidres et poirés, l'hydromel, les vins doux, crèmes de cassis et jus fermentés titrant jusqu'à 3° d'alcool. Le groupe 3 regroupe les vins de liqueur, les apéritifs à base de vin et les liqueurs de fraises, framboises, cassis ou cerises titrant au maximum 18° d'alcool pur. Le groupe 4, lui, comprend les rhums, tafias et alcools distillés à partir de vin, poiré, cidre ou fruits.
Quant au groupe 5, il englobe toutes les boissons dont le titrage en alcool pur est le plus élevé. La fabrication et la vente des boissons de ces groupes sont soumises à l'ordonnance n° 59.107 du code de la Consommation. La loi stipule en outre qu'aucune de ces boissons ne peut se prévaloir d'une « valeur hygiénique ou médicale ».
Par ailleurs, l'article 306 du code pénal des Impôts rapporte l'interdiction pour un particulier de posséder un alambic ou tout appareil permettant la distillation, sans y avoir été préalablement autorisé par le service des Impôts. De fait, par un privilège ancien, cette autorisation n'est donnée qu'aux industriels et aux bouilleurs de cru, ces derniers bénéficiant de ce droit à titre personnel et héréditaire. L'hérédité du privilège est cependant abolie depuis 1960. Les bouilleurs de cru devraient donc disparaître naturellement par voie d'extinction.
Enfin, la publicité de boissons titrant plus d'un degré d'alcool pur doit comporter un message d'avertissement sur les répercussions néfastes pour la santé en cas d'abus.
En somme, les liqueurs que vous fabriquerez grâce aux recettes données dans ce livre ne doivent être consommées qu'à titre privé et, c'est notre souhait, pour votre plus grand plaisir et celui de votre entourage.

DISTILLATION OU INFUSION ?

LA DISTILLATION

La distillation est un ensemble d'opérations complexes permettant d'extraire de végétaux, préalablement fermentés, des substances alcooliques dont la plus importante en quantité est *l'alcool éthylique* ou *éthanol*. Aujourd'hui, ces opérations sont effectuées surtout d'une manière industrielle, avec des appareils très sophistiqués. Mais il existe encore dans les campagnes des personnes qui perpétuent les traditions et pratiquent, avec des instruments bien souvent de leur propre fabrication, l'art difficile de la distillation.
Celle-ci demande en effet, outre une longue expérience, que l'on dispose d'un appareil spécial : l'alambic. Contrairement à d'autres activités du monde rural, la fabrication de l'eau-de-vie n'est pas soumise aux phases de la lune mais aux seuls rythmes agricoles et à la quantité de peaux de raisin mises à fermenter dans le moût du vin. Mal conservées, ces peaux pourrissent rapidement et prennent une odeur désagréable qu'elles transmettront à l'eau-de-vie durant son élaboration. Les moûts les meilleurs proviennent de foulages effectués avec des instruments simples, au nombre desquels les pieds.

Ne pas oublier que la possession d'un alambic est soumise à une législation précise.

VIEILLIE... AVEC UN TRUC !

Les meilleurs fabricants d'eau-de-vie font vieillir le produit de leur distillation en fûts en chêne. C'est en effet l'interaction du bois et de l'air extérieur qui confère à l'eau-de-vie, en quelques années, sa saveur et sa couleur paille caractéristiques.
Pour obtenir d'une manière beaucoup plus rapide un résultat similaire, procédez comme suit :
Introduisez 1 kg de copeaux de bois de chêne (privés de leur écorce) dans une dame-jeanne à large encolure, d'une contenance de 18 à 25 l, puis versez-y votre eau-de-vie ; remplissez entièrement la dame-jeanne.
Au bout d'un mois l'eau-de-vie commencera à se colorer ; en revanche, il lui faudra au moins un an avant d'acquérir sa bonne saveur d'eau-de-vie vieillie en fût de chêne. La dame-jeanne doit être conservée à la cave, au frais et dans l'obscurité. Les copeaux de chêne seront renouvelés chaque fois que vous mettrez à vieillir une nouvelle eau-de-vie.

Le matériel de distillation

Bien que la fabrication artisanale d'un alambic ne soit pas compliquée au point d'être hors de portée, elle requiert un minimum de connaissances techniques. La pression exercée par la vapeur à l'intérieur de la chaudière de l'alambic comporte en effet des risques si ce dernier n'a pas été fabriqué correctement ou s'il n'est pas muni de dispositifs de sécurité.

► Un alambic à usage domestique est constitué généralement d'une *chaudière*, réservoir en acier ou en cuivre muni de pieds, sous lequel on installe un fourneau de type cuisine roulante.
Ce réservoir, d'une capacité de 70 à 80 litres, a une panse renflée et un fond bombé qui en facilitent le nettoyage ; il renferme un panier fait de deux tambours de machine à laver soudés, dans lequel on verse le moût de raisin à distiller ; ouvert dans sa partie supérieure, il est séparé du fond de la chaudière par des pieds afin d'éviter que le moût, durant la cuisson, prenne un goût de brûlé parce que trop près de la source de chaleur ; enfin la chaudière est fermée par un couvercle, dit *chapiteau*, solidement attaché à ses bords et muni d'une valve de sécurité permettant à la vapeur de s'échapper immédiatement en cas d'obstruction du serpentin ; la forme du chapiteau – en coupole – a deux fonctions : empêcher le moût en ébullition de boucher l'orifice du serpentin et faciliter la séparation des différentes substances qui composeront le distillat.
Le *serpentin*, qui part du sommet du chapiteau et peut avoir jusqu'à 7 mètres de long, rejoint un récipient de réfrigération, ou réfrigérant, dans lequel il plonge et décrit une série de spirales.
Le *réfrigérant* contient de l'eau froide en permanence renouvelée par un petit robinet et un trop-plein situé dans sa partie haute. En se condensant sur les parois froides du serpentin, les vapeurs se transforment en un précieux distillat.

L'INFUSION

L'infusion est une lente macération de plantes officinales, de baies ou de fruits plongés dans une solution d'alcool qui permet d'en extraire les constituants solubles.
Que les ingrédients utilisés soient fraîchement cueillis, secs ou sous forme de teinture alcoolique, les résultats obtenus sont équivalents.

► Nos recettes privilégient les ingrédients frais, excepté dans le cas des préparations à base d'herbes aromatiques qui sont protégées par une législation particulière.

Les produits de base
L'alcool à 95° et **le marc de raisin**, au goût sec, sont les deux bases généralement utilisées pour la macération des substances aromatiques. L'un et l'autre sont vendus en supermarché et leur choix sera fonction uniquement du goût et de l'expérience de la personne qui prépare les liqueurs. La saveur des ingrédients est en effet plus accentuée tantôt par l'alcool pur, tantôt par le marc de raisin, et les meilleures associations ne seront trouvées qu'avec un peu de pratique.
L'alcool à 95° doit être allongé, en fin de période de macération, avec des doses – variables selon le goût de chacun – d'eau distillée additionnée de sucre.

RÉCIPIENTS, USTENSILES ET ACCESSOIRES

Préparer chez soi les liqueurs et eaux-de-vie dont nous donnons les recettes ne nécessite que l'acquisition de quelques objets qui, généralement, figurent déjà dans la panoplie de toute cuisine bien équipée.

LA BALANCE

Une simple balance de ménage conviendra parfaitement, pour peu que son cadran mentionne les fractions de 10 grammes. Cet instrument est indispensable pour qui désire donner un petit tour « scientifique » à ses préparations et souhaite respecter au gramme près les doses prescrites, mais le lecteur s'apercevra très vite que les quantités sont souvent évaluées à « vue de nez ».

LES COUTEAUX

Pour couper et détailler les végétaux, nous utiliserons des couteaux non pas en métal mais en matière plastique ou en bois, évitant ainsi que les ingrédients ne prennent un fâcheux goût de fer.

LE MORTIER

Il doit être suffisamment grand pour contenir une bonne quantité d'ingrédients et, au bois, on préférera la pierre, matériau qui garde moins les odeurs et se lave plus facilement.

LA PLANCHE À DÉCOUPER

Il est impératif que cette planche ne serve qu'à la préparation des herbes aromatiques, des fruits et autres ingrédients (afin d'éviter que nos liqueurs prennent le désagréable petit goût de l'ail ou de l'oignon précédemment tranchés sur cette même planche).

LE VERRE GRADUÉ

Cet accessoire en verre est particulièrement utile puisqu'il sert aussi à doser les liquides.

LES PASSOIRES ET LES FILTRES

Hormis quelques recettes dans lesquelles entrent des baies, toutes les liqueurs doivent être filtrées au terme de leur temps de macération ; débarrassées de tout résidu, elles sont plus agréables au palais comme à l'œil. Pour éliminer les résidus les plus grands, on utilise un chinois en plastique, dont la dimension varie selon le volume des ingrédients utilisés. Un filtrage plus fin est effectué avec des filtres à café – un peu lents mais efficaces – ou avec un épais morceau de coton hydrophile. Filtre et coton sont placés dans un entonnoir aux parois non bombées sur lesquelles ils adhèrent mieux, accélérant ainsi l'opération.

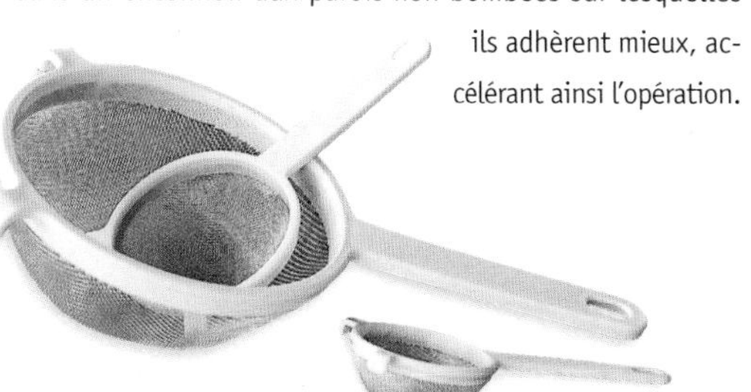

LE RÉCIPIENT DE TREMPAGE

Les herbes aromatiques, les fruits et les baies doivent être mis à macérer dans un récipient en verre d'une contenance de 1, 2 ou 5 l ; la fermeture, à vis ou à pression, doit être parfaitement hermétique. Les bocaux avec couvercles à vis et à large encolure, qui permettent d'introduire puis d'ôter aisément les ingrédients les plus volumineux, sont particulièrement indiqués. Enfin, le récipient doit être en verre transparent : laissant passer la lumière du jour, le verre accélère en effet le réchauffement des infusions et, par ailleurs, il permet de vérifier d'un simple coup d'œil l'évolution de la préparation.

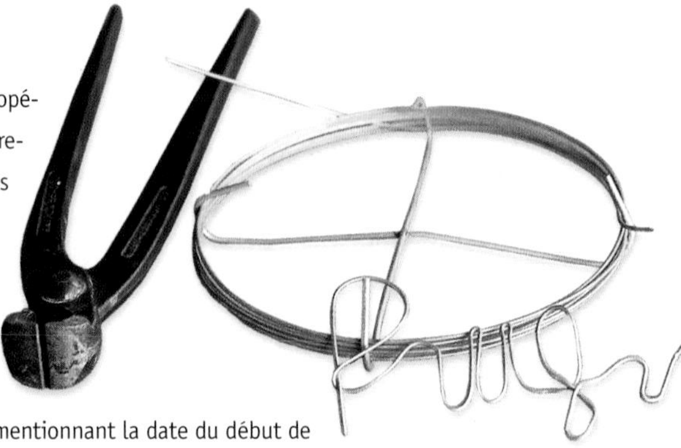

L'ÉTIQUETAGE

Il arrive qu'on oublie de procéder à cette opération pourtant simple et logique ; on se retrouve alors face à une quantité de flacons muets, dont on a oublié ce qu'ils contiennent et combien de temps encore les ingrédients doivent macérer. Au début de cette phase, on collera donc sur le récipient une étiquette en papier mentionnant la date du début de la préparation et l'ingrédient mis à infuser ; ces indications seront portées au crayon plutôt qu'à l'encre, qu'une éventuelle coulée d'alcool pourrait effacer. En revanche, s'agissant des flacons définitifs, vous pourrez donner libre cours à votre imagination et, par exemple, remplacer l'habituelle étiquette en papier adhésif par un mince fil de fer plié avec une pince pour former le nom, par un morceau de celluloïd transparent sur lequel écrire au feutre indélébile, ou encore par un petit rectangle de bois où pyrograver le nom de votre liqueur. Enfin, avec une chaînette métallique, un morceau de ficelle ou tout autre lien solide et plaisant à l'œil, vous accrocherez ces étiquettes au cou de vos bouteilles.

LES FLACONS DÉFINITIFS

Au terme de leur maturation, les préparations seront transvasées dans des flacons d'une apparence plus raffinée. Les vieilles bouteilles de liqueur et, en particulier, celles en verre clair, conviennent fort bien à cet usage.

Après avoir ôté les vieilles étiquettes et avoir lavées soigneusement les bouteilles, on les laissera sécher parfaitement avant d'y verser les préparations. La dernière opération consistera à les fermer avec un bouchon en liège, lui-même cacheté de cire, qui préservera au mieux le contenu tout en lui conférant une touche d'originalité et de mystère.

QUAND ET COMMENT AJOUTER DE L'EAU ET DU SUCRE

L'emploi du sucre, qui attendrit certains ingrédients (herbes aromatiques, pousses de conifère, etc.) et favorise leur macération, est souvent mentionné dans nos recettes. Dans ce cas, on verse le sucre avant l'alcool ou tout autre liquide, directement sur les ingrédients et, afin que ceux-ci s'en imprègnent au mieux, on agite le récipient. En revanche, quand le sucre est ajouté en fin de macération et après filtrage pour adoucir le goût de l'alcool, il faut au préalable le faire fondre dans de l'eau distillée puis le mettre à bouillir pendant trois ou quatre minutes jusqu'à obtention d'un sirop plus ou moins épais. Ce sirop, une fois froid, est versé sur l'infusion.

DÉGUSTATION ET FORME DU VERRE

La forme du verre a une importance fondamentale lors de la présentation et de la dégustation de vos préparations. Sa structure particulière permet en effet de maintenir le nez à la distance juste et donc de percevoir tout le parfum de l'alcool sans que l'odorat soit gêné par ses effets plus délétères.

► Pour les préparations à base de fruits et de baies, le verre le plus approprié a une **forme ventrue qui se resserre** en un cylindre puis s'évase légèrement au niveau du col.

► Les liqueurs digestives à base d'herbes aromatiques seront dégustées dans des verres à pied de **forme conique**.

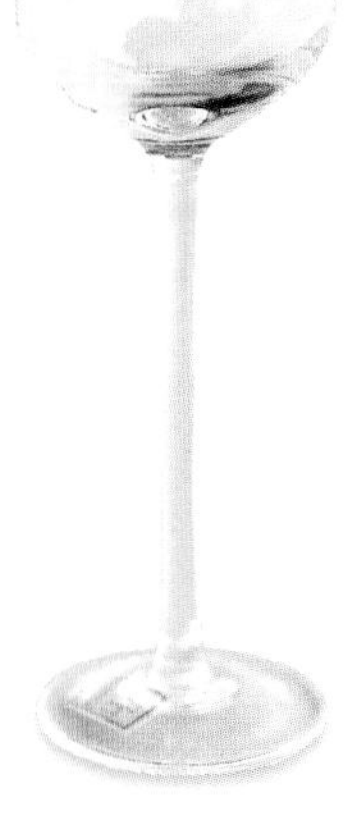

► Le brou, la liqueur de noix ou de laurier et d'autres préparations à la saveur forte, demandent un verre **plus rond** qui leur permettra de libérer, en interaction avec l'oxygène de l'air, toute l'intensité de leur arôme.

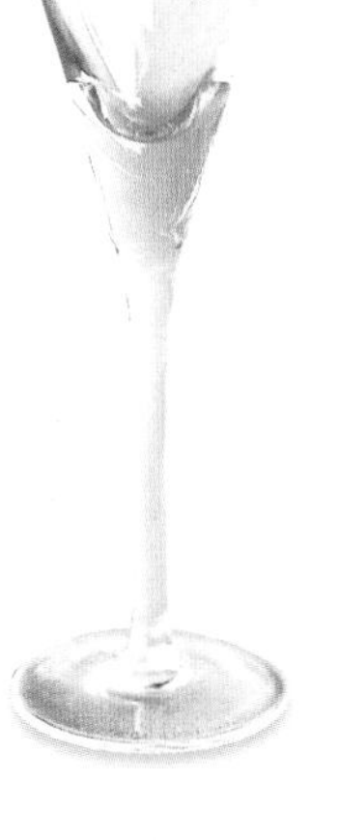

► Afin de charmer les fins connaisseurs, on aura dans sa cave quelques **tonnelets en bois** (de chêne, de genévrier, de frêne, de poirier ou de mûrier), d'une contenance de 5 à 15 litres, pour conserver ses meilleures préparations et, au terme d'un dîner raffiné, les présenter à table.

La plupart des préparations dont nous donnons les recettes doivent être dégustées à une température comprise entre 10 °C et 18 °C.

La récolte des herbes aromatiques

Les ingrédients qui entrent dans nos recettes sont de deux sortes : soit ils sont issus de l'agriculture et on les trouve alors sans problème dans le commerce toute l'année, soit il s'agit de plantes sauvages dont on sait qu'elles sont disponibles à l'état frais durant une courte période et dans des lieux particuliers.
Dans chaque recette, le lecteur trouvera des informations sur la meilleure période pour les récolter et sur les parties utilisables.
Avant de vous lancer dans la fabrication de liqueurs, renseignez-vous sur la réglementation concernant la récolte des plantes officinales dans votre région. La sauvegarde de l'environnement passe aussi par l'action individuelle et une stricte discipline personnelle. De nombreuses plantes ne peuvent se reproduire qu'à l'état sauvage et, du fait de l'exploitation toujours majeure du territoire par l'homme, leur aire de distribution est en constante diminution.

L'alcool et la santé

Avant de déguster entre amis des créations dont vous serez, nous n'en doutons pas, très fiers, il est bon de réfléchir un instant sur les effets néfastes de la consommation d'alcool.
Chacun sait désormais que l'alcool agit comme une drogue, puisqu'une consommation prolongée induit un phénomène d'accoutumance – autrement dit la nécessité, presque toujours inconsciente, d'augmenter les doses pour obtenir les mêmes effets –, une accoutumance qui instaure lentement, insidieusement, une dépendance tant physique que psychique. L'alcool est absorbé rapidement par l'estomac, l'intestin et le colon, et sa concentration dans le cerveau devient très vite équivalente à celle

SUSPENSION DES INGRÉDIENTS AVEC DE LA GAZE

Certains ingrédients peu consistants, tels que les baies et les agrumes se désagrègent rapidement et troublent la préparation lorsqu'on les met à macérer directement dans l'alcool.
Pour éviter que la liqueur ne soit trouble, ce qui nuit à la beauté de son aspect, on suspend les fruits à

1 Placer la gaze sur l'ouverture du récipient de manière qu'elle forme une poche profonde à l'intérieur.

2 La fixer sur les bords du récipient avec une cordelette.

3 Placer les fruits dans la poche.

dans le sang. Son oxydation se fait principalement dans le foie et une consommation excessive annule l'effet de nombreux médicaments.

Chez les gros consommateurs d'alcool, outre des troubles variés dans l'activité sexuelle, apparaissent des ulcérations des muqueuses de l'intestin et de l'estomac ainsi que des inflammations du pancréas, de l'œsophage et du foie, qui peuvent évoluer en tumeurs. Chez les femmes enceintes, l'alcool peut être à l'origine de troubles cérébraux ou de malformations du squelette chez le futur bébé puisqu'il passe directement du système circulatoire de la mère à celui du fœtus, à travers le placenta. Enfin, en tant que substance psychoactive, l'alcool modifie le fonctionnement de notre cerveau et notre perception de la réalité.

Si l'ingestion de quantités même modestes – il suffit de deux petits verres de liqueur ou de deux verres de vin – procure dans un premier temps une sensation de bien-être et d'euphorie, très vite, puisqu'en l'espace d'une demi-heure à une heure, le champ visuel rétrécit et les objets situés sur le côté ne sont plus perçus correctement. Enfin, les réflexes deviennent plus lents – il nous faut le double de temps pour réagir –, alors même que nous avons la conviction trompeuse d'être en pleine possession de nos moyens. L'alcool est donc un facteur de première importance en matière de sécurité routière, et l'*Alcotest* fait désormais partie des mesures qui régissent la circulation automobile. Au moyen d'un appareil spécial et, parfois, par des examens cliniques effectués dans les hôpitaux, on contrôle l'alcoolémie – la concentration d'alcool éthylique dans le sang – des conducteurs.

La limite au-delà de laquelle il est interdit de conduire un véhicule est 0,5 g par litre de sang, ce qui correspond à peu près au taux d'alcool présent dans le sang une heure après avoir bu 1/2 l de vin ou 1 l de bière.

l'intérieur du récipient, légèrement au-dessus de l'alcool, en utilisant un morceau de gaze ordinaire, d'une cinquantaine de centimètres de côté.

L'alcool prend ainsi l'arôme du produit suspendu et garde une parfaite transparence.

4 Ajouter l'alcool en le versant sur les fruits et jusqu'à ce que son niveau arrive à 3 cm de la gaze.

5 Fermer hermétiquement le récipient.

Observer quelques règles simples permet de préserver au mieux les principes actifs contenus dans les essences :

1. N'utiliser que des plantes **parfaitement saines**, c'est-à-dire ne présentant aucune partie flétrie ou desséchée.
2. Les **tiges** et les **feuilles** doivent être cueillies avant que la plante ne commence à fleurir.
3. Les **fruits** doivent être bien mûrs.
4. L'**écorce** et les **racines** seront prélevées tard dans l'automne ou au tout début du printemps.

Les Recettes

Les recettes que nous proposons en pages suivantes sont accompagnées d'une description de l'ingrédient utilisé pour aromatiser la préparation et de la mention de la période la plus indiquée pour procéder à sa récolte. Quant aux recettes elles-mêmes, chacun pourra, avec un peu d'expérience, les adapter à son goût.

AVEC LES POUSSES DU SAPIN ARGENTÉ

Abies alba

Le bois de cet arbre très ancien était déjà utilisé sur les chantiers navals de la Rome antique pour construire les coques et les rames des embarcations.

Le sapin argenté, ou sapin blanc, a des branches horizontales et sa cime est moins pointue que celle du sapin de Norvège avec lequel on le confond souvent. Les aiguilles, disposées sur deux rangées, sont d'un gris clair caractéristique sur leur face inférieure. Le tronc a une écorce claire et lisse. Le fruit est un cône dressé. Ce conifère de montagne est relativement commun dans les forêts de la zone des Alpes, entre 800 et 2 000 m, et très répandu dans celles du Jura ; il cohabite souvent dans des forêts mixtes avec le hêtre et le sapin de Norvège.

RÉCOLTE
Tard dans le printemps, couper les pousses situées en bout de branche ; leur couleur beaucoup plus claire permet de les reconnaître aisément ; ne pratiquer cette cueillette que sur des sapins adultes afin de ne pas nuire à la forêt.

PROPRIÉTÉS
Antiseptique et expectorant.

Eau-de-vie aux aiguilles de sapin

1,5 L DE MARC DE RAISIN,

12 POUSSES DE SAPIN ARGENTÉ,

5 CUILLERÉES DE SUCRE.

- Mettre les pousses dans un récipient et les saupoudrer avec le sucre. Laisser reposer trois jours.
- Ajouter le marc et faire macérer durant une semaine dans un lieu chaud mais non ensoleillé.
- Laisser reposer la préparation à la cave pendant un mois.
- Filtrer et laisser vieillir durant quatre mois avant de consommer.

Pousses de sapin argenté

Avec les cônes du SAPIN de NORVÈGE

Picea excelsa

Le sapin de Norvège, qui fournit chaque année des contingents de « sapins de Noël », est exploité depuis toujours pour son bois utilisé dans les domaines les plus variés, dont l'ébénisterie et la lutherie. Autrefois on utilisait aussi sa résine et, dans la mégisserie, son écorce.

RÉCOLTE
Les cônes au début de l'été.

PROPRIÉTÉS
Expectorant.

Il constitue souvent des forêts mixtes avec le hêtre et le sapin argenté. Contrairement à ce dernier, son tronc est sombre, ses aiguilles sont disposées en spirales autour du rameau, ses cônes sont pendants (et non dressés) et sa cime est nettement pointue.

Cônes de sapin de Norvège

Eau-de-vie au sapin de Norvège

2 L DE MARC DE RAISIN, 10 CÔNES DE SAPIN DE NORVÈGE,

4 CUILLERÉES DE SUCRE.

- Récolter les cônes et les placer dans un récipient à large ouverture. Les saupoudrer avec le sucre.
- Laisser reposer durant deux jours.
- Verser sur les cônes 1 l de marc et laisser infuser au chaud pendant quinze jours.
- Filtrer et rajouter un litre de marc.
- Faire vieillir en cave trois mois. Cette eau-de-vie a un effet bénéfique sur les troubles bénins des voies respiratoires.

AVEC LES FRUITS DES CITRUS OU AGRUMES

Il existe trois manières de préparer une liqueur d'agrumes ; chacune donne un produit de saveur et d'aspect très différents. L'alcool à 95° est la base conseillée pour de nombreux types de préparation.

Les citrus, qui produisent les différents fruits que l'on désigne du terme d'« agrumes », sont originaires du Sud-Est asiatique ; ce sont les Arabes qui les ont introduits en Afrique du Nord et en Espagne. Cultivés désormais dans toute l'aire méditerranéenne et parfois à très grande échelle, leur culture en serres dans des régions plus septentrionales n'a jamais été rentable. Autrefois, lors des longues traversées, les marins mangeaient des citrons pour prévenir les épidémies de scorbut.

PROPRIÉTÉS
Riches en vitamines, en sucres et en sels minéraux.

Liqueur d'agrumes – 1 (PRÉPARATION OPAQUE ET DE COULEUR FONCÉE)

- Peler les agrumes en ayant soin de n'ôter que le zeste (la partie pigmentée et non la peau blanche qui se trouve en dessous). Une liqueur de citron ou d'orange nécessite le zeste de 3 fruits, une liqueur de mandarine celui de 6 fruits.
- Mettre les zestes à macérer dans 1 l d'alcool pur pendant cinq jours.
- Filtrer, puis ajouter 1 l d'eau distillée dans laquelle on aura fait fondre (selon la méthode décrite en p. 10) 1 kg de sucre.
- Laisser vieillir en cave durant un mois.
- Si la base choisie est le marc de raisin, filtrer la préparation au bout de cinq jours de macération et lui ajouter 1/2 l d'eau distillée dans laquelle on aura fait fondre 800 g de sucre.

Liqueur d'agrumes – 2 (PRÉPARATION TRANSPARENTE)

■ Dans un récipient en verre à ouverture très large, verser le sucre : 300 g si la base choisie est le marc de raisin, 600 g s'il s'agit d'alcool à 95°.

■ Envelopper 4 ou 5 agrumes dans une gaze stérile et les suspendre à l'intérieur du récipient en attachant les bords de la gaze sur le pourtour du récipient.

■ Verser le marc ou l'alcool pur sur les fruits enveloppés de gaze, et remplir le récipient en laissant un espace de 3 cm entre les fruits et l'alcool.

■ Fermer hermétiquement et laisser macérer durant soixante-dix à quatre-vingts jours.

■ Au terme de cette période, ôter les fruits et, si la préparation a été faite avec de l'alcool à 95°, goûter et ajouter selon la convenance de l'eau distillée additionnée de sucre (on ajoute généralement 1 litre d'eau par litre d'alcool employé).

■ Laisser vieillir en cave durant un mois pour permettre à l'infusion de se stabiliser.

Crème d'agrumes

■ Préparer la liqueur selon l'une des deux recettes précédentes.

■ Puis verser la préparation dans une grande terrine et lui incorporer le contenu de 3 boîtes de lait condensé de 410 g chacune si la liqueur a été préparée avec de l'alcool, ou 4 boîtes pour une base de marc de raisin. Mélanger soigneusement.

■ La crème ainsi obtenue doit être aussitôt congelée et consommée très froide.

Philtre d'agrumes

20 CL DE VIN BLANC DOUX, 40 CL D'EAU DISTILLÉE,

20 CL D'EAU DE FLEUR D'ORANGER, 6 G DE FEUILLES D'ORANGER,

6 G DE FEUILLES DE CITRONNIER.

■ Faire bouillir l'eau distillée et y plonger les feuilles d'oranger et de citronnier : les y laisser durant cinq minutes.
■ Filtrer et, une fois le liquide refroidi, lui incorporer les autres ingrédients en ajoutant quelques cubes de glace.
Les soirs d'été, ce « philtre » sera un agréable prélude au sommeil.

Eau-de-vie à la mandarine

1 L DE MARC DE RAISIN, 1 PETITE

MANDARINE, LE ZESTE D'1 ORANGE,

LE ZESTE D'1/2 CITRON, 2 CLOUS DE GIROFLE.

■ Mettre dans un récipient la mandarine, les zestes d'orange et de citron, les clous de girofle et le marc. Laisser macérer dans un lieu chaud pendant une quarantaine de jours, en remuant de temps en temps.
■ Filtrer soigneusement et mettre en bouteille.
■ Attendre quelques mois avant de déguster la liqueur.

Ratafia aux quatre agrumes

2 L D'EAU-DE-VIE, 1,5 L D'EAU DISTILLÉE,

1,5 KG DE SUCRE, 2 CITRONS, 2 ORANGES,

1 CÉDRAT, 1 BERGAMOTE (VARIÉTÉ D'AGRUMES).

■ Faire macérer les zestes des 4 agrumes dans l'eau-de-vie pendant huit jours, puis passer au filtre en papier.
■ Peser l'eau-de-vie filtrée et préparer un sirop avec 375 g de sucre et 37,50 cl d'eau distillée par 50 cl d'eau-de-vie. Laisser refroidir ce sirop puis l'incorporer à l'eau-de-vie. Filtrer et mettre en bouteille.

AVEC LES FRUITS DE L'ABRICOTIER

Prunus armeniaca

► *Il faut veiller à ce que les enfants ne mangent pas l'amande des noyaux d'abricot ; celle-ci contient en effet de l'acide cyanhydrique qui est un poison violent.*

Originaire d'Extrême-Orient, l'abricotier a été introduit en Europe par les Romains, qui l'ont importé d'Arménie. Cet arbre fruitier peut atteindre 8 mètres de haut. Sa feuille lisse a un contour légèrement découpé. Ses belles fleurs roses s'épanouissent au printemps. Son fruit charnu, qui renferme un noyau, est de couleur orangé et recouvert d'un léger duvet.

RÉCOLTE
En été, lorsque les fruits sont bien mûrs.

PROPRIÉTÉS
L'abricot frais est riche en vitamines et astringent ; sec, il devient laxatif.

Alcool à l'abricot

50 CL D'ALCOOL À 95°, 6 ABRICOTS,

SUCRE EN POUDRE, EAU DISTILLÉE.

■ Suspendre les abricots mûrs dans un récipient selon la méthode de la gaze.

■ Verser l'alcool sur les fruits et remplir le récipient en laissant un espace de 3 cm entre les fruits et l'alcool.

■ Fermer hermétiquement et faire macérer durant soixante-dix jours.

■ Ôter les abricots noués dans la gaze et goûter. Ajouter, si nécessaire, de l'eau distillée additionnée de sucre.

■ Replacer le récipient à la cave et laisser vieillir pendant deux mois avant de déguster.

Pour vos alcools, choisissez des abricots bien mûrs qui seront plus parfumés.

AVEC LES BAIES ET LES FEUILLES DU LAURIER

Laurus nobilis

C'est avec des rameaux tressés de cette plante originaire d'Asie Mineure que la Grèce antique couronnait, distinction suprême, ses guerriers et ses poètes.

Le laurier est un arbuste qui peut atteindre 10 m de haut. Ses feuilles persistantes et rigides exhalent un agréable parfum lorsqu'on les froisse. Ses fruits sont de petites baies qui, une fois mûres, prennent une couleur noirâtre.

Après leur récolte, on étalera les baies à l'ombre et on les laissera sécher pendant deux jours.

Liqueur de laurier

1 L D'ALCOOL À 95°, 50 CL D'EAU DISTILLÉE, 500 G DE BAIES DE LAURIER, 4 CLOUS DE GIROFLE, CANNELLE, 300 G DE SUCRE EN POUDRE.

- Mettre les baies de laurier bien mûres dans l'alcool avec les clous de girofle et un morceau de cannelle ; laisser macérer pendant soixante-dix à quatre-vingts jours.
- Faire fondre à chaud le sucre dans l'eau distillée ; ce sirop une fois refroidi, l'ajouter à la préparation. Filtrer soigneusement le tout en écrasant légèrement les baies entre les doigts.
- Laisser vieillir en cave pendant quatre mois avant de consommer.

Morphée

10 CL DE VODKA, 10 FEUILLES DE LAURIER,

10 CL DE JUS DE CITRON,

10 CL D'EAU DISTILLÉE,

2 CUILLERÉES DE SUCRE.

■ Nettoyer soigneusement les feuilles de laurier dans un torchon humide. Puis préparer l'infusion en plongeant les feuilles dans l'eau distillée presque bouillante.

■ Filtrer avec soin sans attendre que l'infusion refroidisse. Ajouter la vodka, le jus de citron et le sucre.

■ Laisser reposer deux heures et servir dans des verres au bord poudré de sucre (le haut du verre légèrement humide est passé dans du sucre en poudre). Cette liqueur typiquement estivale doit être servie très frais.

Souvent présent dans les jardins en tant que plante d'ornement, le laurier pousse à l'état sauvage dans les zones côtières de la Méditerranée. Il supporte très bien la taille et on l'emploie donc fréquemment pour créer de véritables sculptures végétales.

RÉCOLTE
En octobre pour les baies.

PROPRIÉTÉS
Stimulant ; combat les infections et facilite la digestion.

AVEC LES FEUILLES DE L'ANGÉLIQUE

Angelica archangelica

La légende veut que ce soit l'archange Raphaël qui ait dévoilé aux hommes les propriétés curatives de l'angélique, plante que l'on considérait autrefois comme miraculeuse.

Cette plante aromatique de la famille des ombellifèracées peut atteindre 1,50 m de haut. Sa tige striée de rouge est robuste. Ses larges feuilles sont très découpées. Ses fleurs en ombelles, situées au sommet des tiges, sont d'un vert tirant sur le jaune. L'angélique aime les zones humides et vallonnées et pousse aussi en montagne.

RÉCOLTE
Les feuilles, en mai et juin.

PROPRIÉTÉS
Digestive et antiseptique.

Les fleurs de l'angélique attirent de nombreux insectes, pour le plus grand plaisir des entomologistes.

Eau-de-vie d'angélique

1 L DE MARC DE RAISIN, 100 G DE FEUILLES D'ANGÉLIQUE, 2 CLOUS DE GIROFLE, CANNELLE, SUCRE EN POUDRE, EAU DISTILLÉE.

- Nettoyer les feuilles d'angélique puis les mettre dans un récipient en verre et les saupoudrer de 2 cuillerées de sucre. Laisser reposer pendant deux jours.
- Ajouter le marc, un morceau de cannelle et les clous de girofle.
- Fermer hermétiquement et laisser reposer durant sept jours.
- Filtrer puis goûter. Ajouter si nécessaire de l'eau distillée et du sucre en quantités égales.
- Laisser vieillir en cave un mois.

Liqueur d'angélique

1 L D'EAU-DE-VIE, 50 CL D'EAU, 500 G DE SUCRE, 100 G DE FEUILLES D'ANGÉLIQUE,

2 G DE CANNELLE, 1 G DE MACIS, 1 G DE CLOUS DE GIROFLE.

Confite, l'angélique est utilisée dans la préparation et la décoration des pâtisseries mais c'est aussi l'ingrédient de base d'une excellente liqueur, autrefois couramment préparée à la maison et dont nous donnons la recette ci-dessous.

■ Faire macérer les feuilles d'angélique et les autres aromates dans l'eau-de-vie pendant huit jours. Filtrer. Faire un sirop avec l'eau et le sucre. Le laisser refroidir puis l'incorporer à la préparation. Filtrer de nouveau.

■ 5 ou 6 amandes amères pelées peuvent remplacer la cannelle, le macis et les clous de girofle.

Liqueur russe

320 G D'ALCOOL À 95°, 35 CL D'EAU,

350 G DE SUCRE, 1/2 VERRE DE VIN ROUGE,

10 G DE ZESTE D'ORANGE, 2,5 G D'ANGÉLIQUE,

2 G D'ÉCORCE DE CANNELLE, 2 G D'ANIS ÉTOILÉ,

1 G DE CLOUS DE GIROFLE,

1 G DE RACINE SÉCHÉE DE GRANDE GENTIANE,

1 G D'ACORE ODORANT.

■ Après avoir broyé les épices au mortier, les mettre dans un récipient avec 10 cl d'alcool et 10 cl d'eau.

■ Mélanger et fermer soigneusement. Laisser macérer pendant dix jours.

■ Filtrer puis ajouter le vin rouge, le reste de l'alcool et un sirop préparé en faisant fondre le sucre dans l'eau mise à chauffer à feu très doux.

■ Mettre en bouteille, boucher et cacheter à la cire. Laisser vieillir six mois avant de consommer.

AVEC LES FRUITS ET LES FLEURS DE L'ORANGER

Citrus aurantium

L'huile essentielle d'oranger est utilisée en parfumerie et la chair de l'orange, appliquée sur la peau, prévient la formation des rides.

Ce petit arbre au port élégant prend parfois la forme d'un arbuste. Ses feuilles d'un vert sombre sont persistantes, ses fleurs blanches délicieusement parfumées, et son fruit charnu est sphérique ou légèrement ovoïdal. Commun sur le pourtour méditerranéen, où il est cultivé d'une manière intensive pour ses fruits.

RÉCOLTE
Fruits mûrs et fleurs.

PROPRIÉTÉS
Riche en huile essentielle et en vitamines. Calmant et digestif.

Eau-de-vie d'orange

1 L DE MARC DE RAISIN, LE ZESTE DE

3 ORANGES, 30 G DE SUCRE EN POUDRE.

■ Mettre dans un récipient le marc, les zestes d'orange coupés en dés et le sucre.
■ Faire macérer au soleil pendant six semaines puis filtrer et déguster la liqueur ainsi obtenue.
■ La même recette peut être utilisée avec du citron ; on remplacera alors les zestes d'orange par ceux de 3 citrons.

Liqueur sarde d'orange

25 CL D'ALCOOL À 95°, 250 G DE SUCRE EN MORCEAUX,

4 GROSSES ORANGES, 2 CITRONS,

1 VERRE D'EAU DISTILLÉE.

- Laver les oranges et les citrons, les essuyer puis les peler.
- Séparer soigneusement les zestes de la peau blanche qui y adhère puis les faire sécher au four à 60 °C.
- Les mettre ensuite à macérer dans l'alcool pendant six semaines.
- Au terme de cette période de repos, filtrer.
- Faire fondre à froid les morceaux de sucre dans l'eau distillée, puis ajouter le sirop obtenu à la préparation.
- Mettre en bouteille et attendre un mois avant de servir la liqueur – frais de préférence.

Lorsque les oranges sont enrobées d'un film protecteur de cire à des fins de conservation, il est préférable de les passer sous l'eau chaude avant d'utiliser leur zeste.

Ratafia d'orange

35 CL D'ALCOOL À 95°, 40 CL D'EAU DISTILLÉE,

300 G DE SUCRE EN POUDRE, 50 G DE PÉTALES DE FLEURS

D'ORANGER FRAÎCHEMENT CUEILLIES.

- Faire macérer les pétales dans 20 cl d'alcool pendant cinq jours, en remuant le tout deux fois par jour.
- Filtrer. Ajouter le sucre mis à fondre à feu doux dans l'eau distillée et le reste de l'alcool.
- Laisser reposer une journée puis mettre en bouteille.

Vous obtiendrez ainsi une liqueur parfumée aux vertus apaisantes, que vous dégusterez le soir après dîner.

AVEC LES TIGES ET LES FEUILLES DE L'ASPÉRULE

Asperula odorata

L'aspérule odorante ou « reine des bois » était autrefois séchée et placée dans les armoires à linge qu'elle parfumait et dont elle éloignait les insectes. Infusée dans de l'eau chaude, elle remplaçait le thé.

Cette petite plante de sous-bois, qui pousse à l'ombre des hêtres, est facilement identifiable grâce à ses feuilles en étoiles, à six ou huit pointes, et à ses petites fleurs blanches.

RÉCOLTE
La plante entière, hormis ses racines, cueillie avant sa floraison.

PROPRIÉTÉS
Purifie l'organisme, combat l'insomnie et facilite la digestion.

C'est en mai que fleurit habituellement cette jolie petite plante.

Eau-de-vie à l'aspérule

1 L DE MARC DE RAISIN, 10 TIGES D'ASPÉRULE NON ENCORE FLEURIE, 3 CUILLERÉES DE SUCRE.

- Mettre l'aspérule dans un récipient et la saupoudrer de sucre. Fermer soigneusement et laisser reposer pendant deux jours.
- Ajouter le marc et faire macérer dans l'obscurité pendant deux semaines.
- Filtrer et laisser reposer en cave pendant au moins deux mois avant de consommer.

Avec les fleurs de l'ABSINTHE

Eau-de-vie à l'absinthe

1 L DE MARC DE RAISIN, 1 TIGE D'ABSINTHE AVEC SES FLEURS FORMÉES MAIS NON OUVERTES, UNE TIGE D'HYSOPE, 4 CUILLERÉES DE SUCRE.

■ Mettre l'absinthe et l'hysope dans un récipient et les saupoudrer avec le sucre. Le lendemain, ajouter le marc.
■ Laisser infuser pendant quinze jours dans un lieu chaud mais à l'abri du soleil.
■ Filtrer et laisser reposer durant trois mois.

Artemisia absinthium

► *Une consommation abusive de liqueur d'absinthe provoque un empoisonnement de l'organisme. En France, l'absinthe, en vogue auprès des artistes à la fin du XIXe siècle, est interdite à la vente depuis 1915.*

L'armoise absinthe est d'un vert argenté. Ses feuilles parfumées ont une saveur très amère. Ses fleurs, petites, jaunes et groupées, appartiennent au type d'inflorescence en « capitule ».

RÉCOLTE
Les fleurs à peine écloses au printemps.

PROPRIÉTÉS
Digestif et stimulant.

Liqueur digestive à l'absinthe

40 CL D'ALCOOL À 95°, 1 TIGE FLEURIE D'ABSINTHE, 2 CUILLERÉES DE GRAINES D'ANIS, 2 CUILLERÉES DE FENOUIL, 1 CUILLERÉE DE GRAINES DE CORIANDRE, 3 FEUILLES DE MENTHE, 300 G DE SUCRE EN POUDRE, 40 CL D'EAU DISTILLÉE.

■ Écraser au mortier les graines de fenouil et de coriandre, la tige d'armoise absinthe et les feuilles de menthe.
■ Recouvrir ces aromates d'alcool. Laisser macérer à la cave pendant quinze jours.
■ Filtrer puis ajouter le sucre fondu à chaud dans l'eau distillée. Mélanger soigneusement.
■ Fermer hermétiquement le récipient et laisser vieillir durant quatre mois.

L'armoise absinthe pousse à l'état sauvage le long des routes de campagne et sur les terrains en friche.

AVEC LES FRUITS DU MICOCOULIER AUSTRAL

Celtis australis

Son bois résistant et flexible était utilisé autrefois pour confectionner les manches de fouet et certains éléments des charrettes.

RÉCOLTE
Les baies mûres, en automne.

PROPRIÉTÉS
Tonique et laxative.

Arbre des régions chaudes et tempérées, le micocoulier pousse à l'état sauvage. Planté le long des routes, il renforce la stabilité du terrain sous la chaussée. Ses feuilles ont un bord denté et leur revers est couvert d'un duvet. Son écorce est lisse et gris foncé. En automne, ses fruits mûrs ont une teinte sombre qui tire sur le violet.

Après la cueillette, il faut laisser sécher les baies durant quelques jours : les éparpiller sur un torchon dans un lieu ombragé et aéré.

Liqueur de baies de micocoulier

50 CL D'ALCOOL À 95°, 200 G DE BAIES MÛRES,
LE ZESTE D'1 CITRON, 2 CLOUS DE GIROFLE,
CANNELLE, SUCRE EN POUDRE,
EAU DISTILLÉE.

- Cueillir les baies lorsqu'elles sont bien mûres. Les mettre dans un récipient avec l'alcool, le zeste du citron, un morceau de cannelle et les clous de girofle.
- Laisser macérer à la cave pendant soixante-dix jours.
- Filtrer soigneusement, goûter et, si nécessaire, ajouter de l'eau distillée et du sucre.

AVEC DES FEUILLES DE BASILIC

Eau-de-vie au citron et au basilic

1 L DE MARC DE RAISIN,

30 FEUILLES DE BASILIC,

LE ZESTE D'1 CITRON,

5 CUILLERÉES DE SUCRE.

■ Mettre dans un récipient les feuilles de basilic fraîchement cueillies et les saupoudrer avec le sucre. Fermer le récipient et le secouer un peu. Laisser reposer une journée.
■ Verser le marc et ajouter le zeste du citron.
■ Laisser macérer à la cave durant quatre semaines.
■ Filtrer et laisser vieillir deux mois avant de consommer.

Délice au basilic

1 L D'ALCOOL À 95°, 80 FEUILLES DE BASILIC, 700 G DE SUCRE EN POUDRE, 1 L D'EAU DISTILLÉE.

■ Préparer une infusion avec l'eau distillée presque bouillante et les feuilles de basilic fraîchement cueillies. Laisser refroidir puis reposer durant une journée.
■ Filtrer et ajouter l'alcool et le sucre.
■ Laisser macérer durant deux jours, en agitant fréquemment le récipient. Filtrer de nouveau la préparation.
■ Laisser vieillir en cave durant quatre mois avant de déguster.

RÉCOLTE
Les feuilles fraîches, en été.

PROPRIÉTÉS
Le basilic frais est bénéfique pour le système nerveux et les irritations de la peau ; il décontracte les muscles.

Ocimum basilicum

Plante aromatique originaire d'Afrique et des Indes, le basilic pousse désormais en Europe depuis des centaines d'années. Ses feuilles ont une longueur de 2 à 5 cm, mais il en existe une variété aux feuilles plus petites et plus parfumées.

Avec les feuilles et l'écorce du BOULEAU

Arbre très présent dans les pays du nord de l'Europe où il constitue des bois clairs au charme étrange.

Betula pendula

Arbre d'ornement qui agrémente les parcs et les jardins, le bouleau blanc n'a guère de valeur en tant que bois d'œuvre car il pourrit facilement ; en revanche, c'est un excellent bois de chauffage.

Ce bel arbre, commun dans toute l'Europe, pousse dans les bois, les broussailles et les landes. Son tronc est blanc avec des reflets argentés, et ses feuilles triangulaires ont un bord découpé.

RÉCOLTE
Les feuilles et l'écorce seront recueillies au printemps.

PROPRIÉTÉS
Les fleurs sont cicatrisantes, les feuilles et l'écorce sont purgatives, diurétiques et sudorifiques.

Eau-de-vie de bouleau

1 L DE MARC DE RAISIN, ÉCORCE DE BOULEAU, 5 CUILLERÉES DE SUCRE.

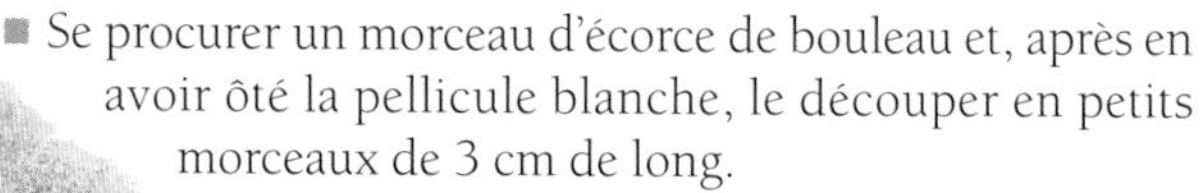

- Se procurer un morceau d'écorce de bouleau et, après en avoir ôté la pellicule blanche, le découper en petits morceaux de 3 cm de long.
- Mettre les fragments d'écorce dans un récipient à large ouverture. Ajouter le sucre et verser le marc.
- Laisser au soleil pendant quinze jours en remuant fréquemment la préparation, puis laisser macérer en cave pendant deux mois.
- Filtrer et laisser vieillir au moins quatre mois avant de consommer.

Eau-de-vie au bouleau et au miel

1 L DE MARC DE RAISIN, FEUILLES DE BOULEAU,

4 CUILLERÉES DE MIEL.

■ Cueillir une poignée de feuilles fraîches de bouleau et les mettre à macérer dans 25 cl de marc pendant trois semaines, en remuant fréquemment la préparation.
■ Faire fondre au bain-marie le miel dans le reste du marc.
■ Filtrer la préparation dans laquelle ont macéré les feuilles de bouleau et y incorporer le marc additionné de miel.
■ Laisser vieillir durant un mois puis déguster l'eau-de-vie en la servant frais.

Selon la tradition, dormir sur un matelas de branches de bouleau a un effet bénéfique immédiat sur les rhumatismes.

Avec les fruits du caféier

Liqueur au café

1 L DE MARC DE RAISIN,

150 G DE CAFÉ EN GRAINS,

400 G DE SUCRE EN POUDRE.

- Mettre dans un récipient les grains de café, le marc et le sucre.
- Laisser infuser au moins un mois, en remuant la préparation un jour sur deux.
- Filtrer et déguster froid (la liqueur au café peut être consommée immédiatement après le filtrage).

Coffea arabica

Les « grains de café » sont les graines contenues dans les fruits de couleur rouge du caféier. C'est la torréfaction qui leur donne leur arôme et leur couleur caractéristiques. Le café a été introduit en Europe au XVIII *e siècle.*

Originaire des hauts plateaux d'Abyssinie, le caféier est cultivé en Afrique, en Océanie et en Amérique latine ; ce petit arbre aux fleurs blanches peut atteindre 5 m de haut.

PROPRIÉTÉS

► Il contient un alcaloïde appelé caféine qui est à la fois un bon stimulant et un vasoconstricteur peu recommandé aux personnes cardiaques.

La liqueur au café, à l'arôme agréable et puissant, est tout indiquée pour terminer un repas.

Élixir de café

25 CL D'ALCOOL À 95°, EAU DISTILLÉE,

500 G DE SUCRE EN POUDRE, 100 G DE CAFÉ MOULU,

2 GOUSSES DE VANILLE.

- Faire macérer la vanille et l'alcool pendant trois à quatre jours dans un récipient hermétiquement fermé.
- Préparer 50 cl d'infusion avec le café et l'eau distillée puis incorporer progressivement dans cette infusion les 500 g de sucre en mélangeant soigneusement.
- Ajouter cette infusion à la préparation d'alcool et de vanille préalablement filtrée.
- Laisser reposer pendant une journée, filtrer de nouveau et mettre en bouteille. Cette liqueur sera consommée immédiatement et en petites quantités à la manière d'un cordial. Elle est déconseillée aux personnes très nerveuses.

Eau-de-vie de café et d'orange

1 L DE MARC DE RAISIN, 40 G DE MIEL, 1 GROSSE

ORANGE BIEN MÛRE (À ÉCORCE FINE),

10 GRAINS DE CAFÉ TORRÉFIÉS.

- Pratiquer des petits trous dans l'orange et y introduire les grains de café ; la moitié du grain doit dépasser de l'écorce.
- Dans un récipient hermétiquement fermé, faire macérer l'orange dans 1/2 l de marc durant une vingtaine de jours.
- Ôter l'orange, filtrer et ajouter le reste de marc dans lequel on aura fait fondre le miel.
- Laisser vieillir un mois puis déguster cette eau-de-vie à la saveur toute brésilienne.

Infusion de café

45 CL D'ALCOOL À 95°, 35 CL D'EAU

DISTILLÉE, 300 G DE SUCRE EN POUDRE,

100 G DE CAFÉ MOULU, 50 G DE CACAO.

- Porter l'eau à ébullition et y verser le sucre. Laisser bouillir pendant trois minutes.
- Quand le sirop est refroidi, le verser dans un récipient en verre et lui ajouter l'alcool, le café et le cacao.
- Bien mélanger et laisser reposer pendant trente jours. Filtrer soigneusement puis attendre au moins trois mois avant de déguster l'infusion.

AVEC LES FLEURS DE LA CAMOMILLE

Matricaria chamomilla

La camomille est connue depuis l'Antiquité pour son pouvoir antispasmodique et son agréable parfum.

► À noter toutefois que la camomille commune provoque chez les personnes nerveuses excitation et insomnie.

RÉCOLTE
Les capitules des fleurs, en juin-juillet.

PROPRIÉTÉS
Calme la douleur, apaise les inflammations, facilite la digestion et stimule l'organisme. C'est un bon calmant.

Plante odoriférante vivace poussant dans les champs de blé, les terrains en friche et sur les talus. Sa fleur est composée d'un ensemble de fleurs blanches – les faux pétales – et d'un capitule de fleurs jaunes tubuleuses ; lorsque les faux pétales, ou ligules, arrivent à maturation, ils s'inclinent vers le sol. La feuille est profondément découpée.

Autrefois, les fleurs de camomille étaient utilisées comme tabac à pipe.

Liqueur apaisante

2 L DE MARC DE RAISIN AU GOÛT SEC, 25 CL D'EAU DISTILLÉE,

250 G DE SUCRE EN POUDRE, 25 G DE FLEURS DE CAMOMILLE,

20 G DE ZESTE DE CITRON, 20 G DE ZESTE D'ORANGE,

15 G D'ACORE ODORANT, 10 G D'ANIS ÉTOILÉ,

10 G DE BAIES DE GENIÈVRE, 8 G DE CUMIN.

- Pour confectionner cette liqueur, mettre à macérer pendant quinze jours tous les aromates dans le marc, en ayant soin d'agiter le récipient hermétiquement fermé au moins une fois par jour.
- Au bout de cette période, faire fondre le sucre dans l'eau distillée chauffée et ajouter ce sirop à la préparation.
- Laisser reposer quelques heures puis filtrer et mettre en bouteille.
- Un petit verre de cette liqueur après le déjeuner et le dîner combattra efficacement le stress.

Eau-de-vie à la camomille

1 L DE MARC DE RAISIN,

30 CAPITULES DE

CAMOMILLE COMMUNE,

2 CUILLERÉES DE SUCRE.

- Ramasser les capitules et les faire sécher à l'ombre durant une journée sur du papier de ménage absorbant.
- Les mettre ensuite dans un récipient et les saupoudrer avec le sucre. Fermer le récipient et laisser reposer une journée.
- Verser le marc sur les fleurs et laisser macérer dans l'obscurité pendant quatre semaines, en agitant le récipient de temps à autre.
- Filtrer. Laisser reposer en cave pendant un mois avant de consommer.

Soir parfumé

30 CL D'ALCOOL À 95°, 30 CL DE VIN BLANC SEC,

100 G DE SUCRE EN POUDRE, 50 G DE FLEURS DE

CAMOMILLE, 3 CLOUS DE GIROFLE,

5 G DE CANNELLE, 1/3 DE NOIX MUSCADE RÂPÉE.

- Mettre les ingrédients dans un récipient en verre, fermer hermétiquement et laisser infuser pendant quatre mois.
- Puis filtrer, mettre en bouteille et déguster cette liqueur particulièrement parfumée qui, outre sa saveur agréable, possède d'appréciables vertus apaisantes.

AVEC LES FEUILLES DE L'ARTICHAUT

Cynara scolymus

► *L'artichaut est déconseillé aux femmes qui allaitent à cause de son goût très amer.*

RÉCOLTE
En avril-mai pour les feuilles, en juillet-août pour les têtes.

PROPRIÉTÉS
Il purifie le foie et combat le cholestérol.

Cette plante potagère vivace, dont on ne consomme généralement que la « tête », est cultivée partout en France. Le capitule (la tête d'artichaut) est composé d'un réceptacle charnu (le fond d'artichaut) et de bractées (les feuilles). Les feuilles de la plante sont grandes et profondément découpées.

Liqueur à l'artichaut

60 CL D'ALCOOL À 95°, 2 FEUILLES D'ARTICHAUT,

2 CLOUS DE GIROFLE, CANNELLE,

3 CUILLERÉES DE SUCRE, EAU DISTILLÉE.

■ Nettoyer et couper les feuilles d'artichaut en morceaux que l'on placera dans un récipient à large ouverture.
■ Saupoudrer avec le sucre, fermer hermétiquement et laisser reposer durant trois jours.
■ Verser l'alcool sur la préparation, ajouter les clous de girofle et un petit morceau de cannelle. Reboucher le récipient et laisser macérer pendant trente jours.
■ Filtrer soigneusement et goûter. Si la saveur est trop forte, l'adoucir avec de l'eau distillée et du sucre.
■ Laisser vieillir en cave durant quatre mois.

AVEC LES FEUILLES DE LA VERVEINE CITRONNELLE

Lippia citriodora

RÉCOLTE
Les feuilles, pendant toute la période de végétation.

PROPRIÉTÉS
Digestive et calmante.
► Une consommation excessive peut entraîner des troubles gastriques.

Cette plante n'a été introduite dans le sud de l'Europe qu'au XVIIIe siècle. On en extrait une essence employée en parfumerie.

La verveine dite citronnelle, à cause de l'odeur de citron qu'exhalent ses feuilles froissées, est une plante herbacée aux feuilles allongées, aux fleurs blanches puis jaunes et parfois rosées, qui peut atteindre 1 m de haut.

Les fleurs blanches et rosées, réunies en épis et discrètes, s'ouvrent de juillet à septembre. À maturité, elles forment de petites baies.

Alcool de verveine citronnelle

50 CL D'ALCOOL À 95°, 100 FEUILLES DE VERVEINE CITRONNELLE, SUCRE EN POUDRE, 50 CL D'EAU DISTILLÉE.

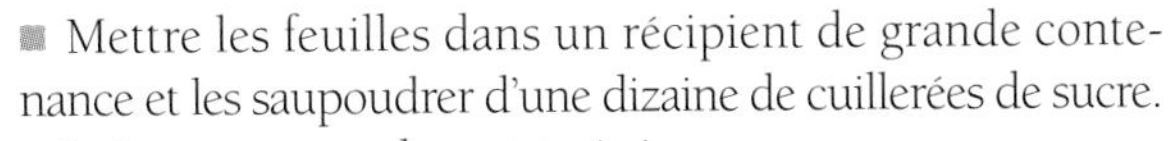

- Mettre les feuilles dans un récipient de grande contenance et les saupoudrer d'une dizaine de cuillerées de sucre.
- Laisser reposer durant trois jours.
- Verser l'alcool sur les feuilles qui, autant que faire se peut, ne doivent pas flotter à la surface. Fermer hermétiquement et laisser infuser pendant quinze jours.
- Faire fondre à chaud 300 g de sucre dans l'eau distillée. Laisser refroidir le sirop et l'incorporer à la préparation. Laisser reposer durant vingt-quatre heures.
- Filtrer, mettre en bouteille et conserver au réfrigérateur.

AVEC LES FRUITS DE L'ARBOUSIER

Eau-de-vie d'arbousier

1 L DE MARC DE RAISIN,

400 G D'ARBOUSES MÛRES.

- Écraser légèrement les arbouses au mortier puis les mettre dans un grand récipient.
- Verser le marc sur les fruits, fermer hermétiquement et laisser infuser au soleil pendant une semaine.
- Placer à la cave et faire macérer quatre semaines en agitant souvent le récipient.
- Filtrer puis laisser vieillir durant quatre mois.

Le fruit de l'arbousier, dit aussi « cerise de mer », est préparé en confiture. Consommé en grandes quantités il peut être à l'origine de constipation.

Arbutus unedo

Le miel de fleurs d'arbousier est très prisé et les arbouses peuvent être préparées en confiture.

Cet arbre du Midi atteint généralement 3 m de haut. Ses feuilles persistantes sont dentées et relativement rigides. Il se couvre en hiver de fleurs blanches. Ses fruits rouges, présents toute l'année, ont une écorce granuleuse ; la chair en est farineuse et légèrement amère.

RÉCOLTE
Les fruits, toute l'année.

PROPRIÉTÉS
Diurétique, astringent, anti-inflammatoire.

Avec les fruits du CORNOUILLER

Cornus mas

Autrefois, dans les campagnes, les fruits du cornouiller mâle étaient préparés en confiture ou conservés dans la saumure comme les olives. Quant à son bois, très dur, il était utilisé pour confectionner des flèches, des lances et des manches d'outil.

Cet arbuste très commun dans les haies peut atteindre 4 à 5 m de haut. Il se couvre de fleurs jaunes en février-mars avant la feuillaison. Ses baies aux divers tons de rouge sont mûres à la fin de l'été. Ses feuilles présentent des nervures très visibles.

À la fin de l'été, les baies du cornouiller prennent de jolis tons de rouge.

RÉCOLTE
Les baies mûres, en septembre.

PROPRIÉTÉS
Contient du glucose, du tanin et des acides, mais n'est pas utilisé en herboristerie.

Eau-de-vie de cornouiller

1 L DE MARC DE RAISIN, 30 BAIES BIEN MÛRES DE

CORNOUILLER, 2 C. DE SUCRE.

- Mettre les baies dans un récipient et les saupoudrer avec le sucre. Laisser reposer trois jours.
- Verser le marc sur la préparation et faire infuser dans un lieu chaud mais ombragé pendant un mois, en agitant souvent le récipient hermétiquement fermé.
- Laisser reposer en cave durant deux semaines.
- Filtrer et faire vieillir quatre mois au frais avant de consommer.

AVEC LES RACINES DU RAIFORT

Armoracia rusticana

La racine de raifort râpée et assaisonnée d'huile, de vinaigre et de sel est une excellente sauce de pot-au-feu.

Le raifort sauvage, que l'on appelle aussi cran, a été introduit en Europe occidentale, depuis le Caucase, au XVIe siècle. Plante vivace à grandes feuilles allongées, long pétiole et grosse racine pivotante.

RÉCOLTE
La racine, en décembre.

PROPRIÉTÉS
Combat la fatigue et l'anémie. Réveille l'appétit et calme la toux.
► Déconseillé aux personnes nerveuses ou souffrant de troubles gastriques et aux femmes enceintes.

Eau-de-vie au raifort

1 L DE MARC DE RAISIN,

1 RACINE DE RAIFORT,

2 CUILLERÉES DE SUCRE.

■ Cette eau-de-vie doit être consommée avec prudence car ses effets sont parfois plus sévères encore que ceux de l'eau-de-vie de piment.
■ Couper un morceau de racine fraîche de 5 cm de long ; en gratter soigneusement la peau puis l'écraser légèrement au mortier.
■ La placer dans un récipient et la saupoudrer avec le sucre. Fermer le récipient et laisser reposer durant une journée.
■ Couvrir la racine avec le marc et laisser infuser pendant quinze jours.
■ Filtrer et laisser reposer à la cave durant deux mois avant de consommer.

Plante rustique et peu exigeante, le raifort est souvent présent dans les coins ombreux et humides des jardins.

Avec les graines du CUMIN

Carum carvi

Le cumin des prés ou carvi, dont les graines parfument le kummel fabriqué surtout en Allemagne, est utilisé aussi dans les pays nordiques pour aromatiser le pain, le fromage et d'autres aliments.

Cette plante commune dans les prairies a une tige dressée et des feuilles très découpées. C'est en mai-juin que s'épanouissent ses fleurs blanches, regroupées en ombelles.

RÉCOLTE
Les graines mûres extraites des ombelles de fleurs.

PROPRIÉTÉS
Facilite la digestion et l'expulsion des gaz ; stimule la sécrétion de lait.

Kummel

1 L DE MARC DE RAISIN, 1 CUILLERÉE DE GRAINES DE CUMIN, 2 CUILLERÉES DE SUCRE.

- Verser les graines de cumin et le sucre dans le marc.
- Laisser macérer pendant un mois en remuant la préparation un jour sur deux.
- Filtrer et déguster – cette eau-de-vie peut être consommée aussitôt après avoir été filtrée.

AVEC LES FEUILLES DE L'EUCALYPTUS

Eucalyptus globulus

L'eucalyptol, extrait des feuilles des sujets adultes, est utilisé dans la préparation de confiseries, de médicaments, de dentifrice, etc.

RÉCOLTE
Les feuilles cueillies en été et conservées dans un récipient bien fermé.

PROPRIÉTÉS
Antiseptique des voies respiratoires.

Ce grand arbre originaire d'Australie se plaît dans les terrains humides, notamment dans les régions chaudes et côtières. Son tronc massif et droit est couvert d'une écorce grise qui se détache facilement. Les feuilles ont une forme de faux chez les sujets adultes. La fleur a d'abord la forme d'un vase fermé d'un couvercle qui se détache au moment de la floraison. L'eucalyptus exhale un parfum très fort.

Eau-de-vie sédative à l'eucalyptus

1,5 L DE MARC DE RAISIN, 20 FEUILLES D'EUCALYPTUS, 3 CUILLERÉES DE SUCRE, 1 CUILLERÉE DE MIEL, EAU DISTILLÉE.

Du fait des vertus de l'eucalyptus, cette eau-de-vie sera la bienvenue durant les froides soirées d'hiver, pour soulager les petits troubles respiratoires.

- Émietter les feuilles, les mettre dans un récipient, ajouter le sucre et le marc.
- Faire macérer durant trois semaines au chaud, en agitant souvent le récipient.
- Mettre la préparation à la cave et la laisser reposer durant deux autres semaines.
- Filtrer soigneusement et ajouter le miel dissous dans un peu d'eau distillée.
- Laisser vieillir durant un mois.

AVEC LES FRUITS DU FIGUIER

Ficus carica

RÉCOLTE
Tard dans l'été, les corps charnus et mûrs.

PROPRIÉTÉS
Les fruits sont laxatifs.

Le lait qui suinte d'une feuille froissée ou d'une branche de figuier cassée était appliqué autrefois sur les durillons et les verrues pour les faire disparaître.
► *Mises en contact avec la peau, les grandes feuilles peuvent provoquer des réactions allergiques.*

Le figuier pousse à l'état sauvage dans tous les pays méditerranéens, où il est très commun. Il croît dans des endroits ensoleillés et pierreux. Les fruits véritables du figuier ne sont pas les figues charnues et savoureuses (qui ne mûrissent que la deuxième année), mais les akènes contenus à l'intérieur de celles-ci. Les feuilles présentent de trois à cinq lobes.

Liqueur douce aux figues

60 CL D'ALCOOL À 95°,

6 FIGUES NOIRES BIEN MÛRES,

SUCRE EN POUDRE,

EAU DISTILLÉE.

- Suspendre les figues dans le récipient selon la méthode de la gaze (voir p. 12-13) et verser sur elles l'alcool en laissant un espace de 3 cm entre les fruits et l'alcool.
- Fermer hermétiquement et laisser macérer durant soixante-dix jours à la cave.
- Ôter les figues et goûter ; si nécessaire, ajouter de l'eau distillée et du sucre.
- Laisser vieillir en cave durant trois mois avant de consommer.

Fruit du figuier arrivé à maturité. Les fleurs, distribuées sur la face interne de ce qui sera plus tard la figue, sont pollénisées au printemps par un petit hyménoptère appelé blastophaga.

Eau-de-vie aux figues et au miel

1 L DE MARC DE RAISIN, 4 FIGUES MÛRES,

LE ZESTE D'1 CITRON, 1 CLOU DE GIROFLE,

CANNELLE, 4 CUILLERÉES DE MIEL.

- Mettre dans un récipient les figues entières, un morceau de cannelle, le clou de girofle, le zeste du citron et le miel.
- Couvrir le tout avec le marc et laisser macérer dans un lieu chaud, mais à l'abri du soleil, durant quarante-cinq jours.
- Filtrer la préparation et la laisser reposer à la cave pendant un mois avant de la déguster.

Les peintres des siècles passés masquaient la nudité des figures avec des feuilles de figuier. Dans l'Égypte antique, le bois de cet arbre était utilisé pour fabriquer les sarcophages des pharaons.

AVEC LES FRUITS DU FRAISIER DES BOIS

Fragaria vesca

Séchées, les feuilles du fraisier des bois donnent une excellente infusion désaltérante ; fraîches, elles peuvent entrer dans la préparation de plats à base de riz ou dans des salades printanières.

► Les fraises des bois sont déconseillées en cas de diabète et de propension à l'urticaire ; le léger duvet blanc qui les recouvre peut provoquer des allergies.

Plante vivace à tige courte et tomenteuse, le fraisier sauvage pousse de préférence dans la pénombre des clairières ou dans des prairies sèches de colline ou de montagne. Ses feuilles sont trilobées et dentées, ses fleurs blanches. Arrivés à maturité, ses faux fruits deviennent rouges et exhalent un parfum caractéristique.

RÉCOLTE
Les fruits mûrs, en été.

PROPRIÉTÉS
Astringent et dépuratif.

Les fraises des bois trahissent leur présence par leur délicieux parfum. On les trouve aussi dans les Alpes jusqu'à 1 500 m d'altitude.

Eau-de-vie aux fraises des bois

1 L DE MARC DE RAISIN, DEUX POIGNÉES

DE FRAISES DES BOIS, LE ZESTE D'1 CITRON,

2 CUILLERÉES DE SUCRE.

- Mettre les fraises des bois fraîchement cueillies et le zeste du citron dans un récipient en verre. Saupoudrer avec le sucre.
- Fermer le récipient et laisser reposer à l'ombre pendant deux jours.
- Verser le marc sur les fraises et mettre à infuser pendant trois semaines dans un lieu chaud, mais à l'abri du soleil.
- Laisser les fraises dans le liquide et faire vieillir en cave durant un mois avant de consommer.

Liqueur aux fraises des bois

50 CL D'ALCOOL À 95°, 2 POIGNÉES

DE FRAISES DES BOIS,

SUCRE, EAU DISTILLÉE.

- Envelopper les fraises dans un morceau de gaze et les suspendre à l'intérieur d'un récipient (voir p. 12-13).
- Verser l'alcool jusqu'à ce qu'il atteigne un niveau légèrement inférieur aux fruits. Fermer hermétiquement le récipient.
- Au bout de quarante-cinq jours, ôter les fraises, goûter et, si nécessaire, ajouter de l'eau distillée et du sucre.
- Laisser vieillir en cave durant trois mois avant de consommer.

Faute de fraises des bois fraîches, les recettes seront préparées avec les fraises bien mûres et parfumées des variétés cultivées.

Liqueur de montagne aux fraises des bois

1 L DE MARC DE RAISIN, 1 KG DE FRAISES DES BOIS FRAÎCHES, 5 G D'ÉCORCE DE CANNELLE, 3 G DE CLOUS DE GIROFLE, 1 L D'EAU DISTILLÉE, 1,5 KG DE SUCRE EN POUDRE.

■ Après avoir préparé un sirop avec l'eau distillée et le sucre, le verser bouillant sur les fraises mises dans une terrine.
■ Filtrer sans trop écraser les fraises. Ajouter le marc, les clous de girofle et la cannelle. Laisser macérer durant quatre à cinq jours.
■ Filtrer de nouveau et goûter ce pur délice.

« Fragolino »

50 CL D'ALCOOL À 95°, 500 G DE PETITES FRAISES, LE JUS DE 2 CITRONS, 1 GOUSSE DE VANILLE, 15 CL D'EAU DISTILLÉE, 400 G DE SUCRE EN POUDRE.

■ Nettoyer rapidement les fraises dans de l'eau additionnée de jus de citron. Les laisser sécher dans une passoire puis les mettre dans un récipient en verre, à fermeture hermétique.
■ Dans une casserole, faire fondre à feu très doux le sucre dans l'eau distillée, puis le verser lentement sur les fraises. Ajouter l'alcool et la vanille hachée.
■ Faire macérer durant un mois environ, en remuant de temps en temps le récipient.
■ Filtrer, mettre en bouteille et laisser vieillir cinq à six mois avant de consommer.

Avec les fruits du MÛRIER

Morus nigra

Ses fruits se conservent mal et la culture du mûrier noir est désormais plus ou moins abandonnée. Le Morus alba, *dont les feuilles étaient destinées à la nourriture du ver à soie, connaît à peu près le même sort depuis l'avènement des fibres synthétiques.*

RÉCOLTE
Les fruits mûrs, à la fin de l'été.

PROPRIÉTÉS
Les feuilles sont astringentes et fébrifuges. Antidiabétique.

Le mûrier noir, introduit en Italie par les Grecs anciens, a été naturalisé en France. Son tronc court et robuste est couvert d'une écorce profondément incisée. Ses feuilles sont en forme de cœur. D'abord rouge, son fruit (à ne pas confondre avec celui de la ronce appelé improprement mûre) devient noir à maturité, à la fin de l'été.

On peut utiliser aussi les mûres du *Morus alba* pour préparer cette eau-de-vie, qui sera alors tout aussi parfumée mais incolore.

Eau-de-vie de mûres

1 L DE MARC DE RAISIN, 100 G DE MÛRES,

2 CUILLERÉES DE SUCRE.

- Saupoudrer les mûres avec le sucre et les laisser reposer durant une journée dans un récipient d'une bonne contenance.
- Verser le marc sur les fruits et fermer hermétiquement.
- Laisser infuser durant quinze jours dans un lieu chaud, mais à l'abri du soleil, en remuant souvent le récipient.
- Placer la préparation à la cave et la laisser reposer durant quinze autres jours.
- Filtrer soigneusement puis laisser vieillir deux mois.

Avec les racines de la GENTIANE JAUNE

Gentiana lutea

La grande gentiane est une des plantes médicinales les plus appréciées pour ses vertus digestive, tonique et vermifuge ; elle combat aussi les fermentations.

La gentiane jaune, ou grande gentiane, étant une espèce protégée, il est préférable de l'acheter chez un herboriste. L'infusion de gentiane peut être utilisée pour la toilette du visage ; elle combat l'excès de sébum et éclaircit les taches de rousseur.

Cette plante vivace, typique des prairies de montagne, possède une grosse et longue racine pivotante de couleur brun jaune. Ses grandes feuilles ovales et opposées – embrassantes pour les supérieures, pétiolées pour les inférieures – ont des nervures très apparentes. Ses fleurs jaunes sont disposées par groupes serrés de 3 à 10 à la base des feuilles.

► Ne pas la confondre avec le vératre, plante vivace, vénéneuse.

RÉCOLTE
La racine séchée, prélevée en automne.

PROPRIÉTÉS
Digestive et fébrifuge.

Amer de gentiane

1 L DE MARC DE RAISIN, 1 RACINE SÉCHÉE DE GENTIANE,

2 TIGES FLEURIES D'ABSINTHE, LE ZESTE D'1 ORANGE.

■ Mettre à macérer le zeste d'orange dans le marc durant trois jours, en agitant souvent le récipient.
■ Dans un mortier, écraser légèrement les tiges fleuries d'absinthe et la racine séchée de gentiane.
■ Les ajouter à la préparation de zeste d'orange et de marc et faire macérer le tout pendant un mois dans un lieu chaud, mais à l'abri du soleil. Agiter souvent le récipient.
■ Filtrer et laisser vieillir deux mois en cave avant de consommer.

Eau-de-vie à la gentiane

1 L DE MARC DE RAISIN,

1 RACINE DE GENTIANE,

3 CUILLERÉES DE SUCRE.

■ Couper la racine de gentiane en petits morceaux et les mettre dans un récipient. Les saupoudrer avec le sucre. Fermer le récipient et laisser reposer durant une journée.
■ Verser le marc sur la préparation et faire macérer au soleil pendant deux semaines.
■ Mettre le récipient à la cave et laisser vieillir pendant quatre mois. Consommer sans filtrer.

On confond souvent la gentiane jaune avec le vératre, qui s'en distingue cependant par les nervures parallèles et non convergentes de ses feuilles et par la disposition alternée de celles-ci sur la tige.

Liqueur de gentiane

8 CL D'ALCOOL À 95°, 1 L DE VIN BLANC SEC,

50 G DE MIEL, 20 G DE RACINE SÉCHÉE ET RÂPÉE

DE GRANDE GENTIANE, 20 G DE ZESTE D'ORANGE AMÈRE,

10 G DE MENTHE, 5 G DE BAIES DE GENIÈVRE,

5 G DE FENOUIL, 5 G DE SAUGE.

■ Faire macérer les aromates dans le vin et l'alcool durant dix jours, en remuant deux fois par jour la préparation avec une cuiller en bois.
■ Filtrer et ajouter le miel.
■ Mettre en bouteille, boucher et cacheter à la cire. Laisser vieillir un mois avant de consommer.
Un petit verre de cette liqueur en apéritif ou en digestif stimule les fonctions de l'estomac. Par ailleurs, la liqueur de gentiane régularise l'activité de la rate et du foie. Sa consommation est conseillée aux femmes enceintes.

Gentianelle

1 L DE BRANDY,

50 CL DE VIN ROUGE VIEUX,

15 G DE RACINE DE GENTIANE.

■ Râper la racine de gentiane et la laisser tremper vingt-quatre heures dans le brandy dans un récipient hermétiquement fermé.
■ Ajouter le vin rouge, refermer soigneusement le récipient et le laisser au soleil pendant huit jours.
■ Filtrer. Cette excellente liqueur peut être consommée immédiatement, servie telle quelle ou avec un cube de glace après le repas.

Pour la préparation des eaux-de-vie et liqueurs, vous pouvez aussi utiliser les autres espèces de gentiane, telles que *Gentiana punctata* ou *Gentiana pannonica*, présentes dans les prés en montagne.

Élixir à la gentiane et à la cannelle

ALCOOL À 95°, 500 G DE SUCRE EN POUDRE, 35 CL D'EAU DISTILLÉE, 10 G DE RACINE SÉCHÉE DE GRANDE GENTIANE, 10 G DE ZESTE DE CITRON, 5 BAIES DE GENIÈVRE, 5 G D'ÉCORCE DE CANNELLE, 5 G DE MENTHE, 1,5 G DE VANILLE EN GOUSSE.

- Émietter la vanille et la cannelle au mortier et les mettre dans l'alcool. Fermer soigneusement et laisser macérer durant dix jours en agitant le récipient deux fois par jour.
- Filtrer en pressant soigneusement les aromates. Ajouter le sucre avec lequel vous aurez fait un sirop en le faisant fondre dans l'eau distillée chauffée à feu très doux.
- Mélanger le tout et laisser reposer une journée. Filtrer de nouveau et mettre en bouteille. Cacheter à la cire et laisser vieillir trois mois avant de consommer.

Cet élixir, que vous pourrez aussi offrir à vos amis sans faire mauvaise figure, est excellent lorsqu'on en prend un demi-verre avant et après les repas ; associant les propriétés stimulantes de la gentiane et de la cannelle, il exerce une action particulièrement tonique sur l'estomac

AVEC LES BAIES DU GENÉVRIER

Juniperus communis

Autrefois, on fumait et on aromatisait la viande avec des branches de genévrier et du bois de hêtre. Mastiquer une baie de genévrier purifie l'haleine.

Cet arbuste est présent en bord de mer et jusqu'à 3 000 m d'altitude pour ce qui est de la sous-espèce *Nana* à port couché. Son écorce est brun rouge et son feuillage dru composé d'aiguilles piquantes. Ses baies mûrissent en deux ans et prennent alors une teinte bleu foncé.

RÉCOLTE
Les baies, à la fin de l'automne.

PROPRIÉTÉS
Facilite la digestion et l'élimination des gaz.

Genièvre

50 CL D'ALCOOL À 95°, UNE POIGNÉE DE BAIES DE GENÉVRIER, SUCRE EN POUDRE, 50 CL D'EAU DISTILLÉE.

- Laisser sécher les baies mûres à l'ombre durant trois jours, sur du papier absorbant.
- Les écraser légèrement au mortier puis les mettre dans un récipient. Les saupoudrer de 3 cuillerées de sucre et fermer soigneusement le récipient.
- Au bout de trois jours, verser l'alcool sur les baies et laisser macérer durant un mois à l'ombre.
- Filtrer. Ajouter l'eau distillée dans laquelle vous aurez fait fondre à chaud 200 g de sucre.
- Laisser reposer à la cave au moins jusqu'à la fin de l'hiver.

Liqueur de genévrier

10 CL D'ALCOOL À 75°, 1 L DE VIN BLANC À TENEUR ÉLEVÉE EN ALCOOL,

15 G DE BAIES DE GENÉVRIER, LE ZESTE D'1 ORANGE.

En plus d'aromatiser divers mets et le fameux genièvre, les baies mûres du genévrier sont l'ingrédient principal d'une liqueur bienfaisante pour l'estomac.

■ Écraser les baies et les mettre à macérer avec le zeste d'orange dans l'alcool et le vin blanc durant quinze jours. Remuer de temps en temps.

■ Filtrer et déguster frais.

Un demi-verre de cette liqueur après les repas facilite l'élimination de l'acide urique.

Eau-de-vie de genévrier

1 L DE MARC DE RAISIN, 15 BAIES DE GENÉVRIER, 20 G DE SUCRE.

■ Mettre à macérer dans une bouteille le marc, les baies et le sucre, après avoir écrasé les baies entre les doigts afin que l'alcool prenne au mieux leur parfum.

■ Placer la bouteille fermée pendant quarante jours au soleil, en la remuant de temps à autre.

■ Filtrer et consommer.

Avec les fruits du FRAMBOISIER

Rubus idaeus

L'homme s'est de tout temps nourri des fruits du framboisier, dont on cultive aujourd'hui de nombreuses variétés.

Cette plante vivace est présente jusqu'à 2 000 m d'altitude. Ses feuilles sont vertes sur leur face supérieure et couvertes d'une pellicule blanchâtre sur leur face inférieure. Les fruits mûrissent en été sur les rameaux âgés d'au moins deux ans.

RÉCOLTE
Les fruits mûrs, en août.

PROPRIÉTÉS
Laxatives et rafraîchissante.

Eau-de-vie à la framboise

1 L DE MARC DE RAISIN, 200 G DE FRAMBOISES, 2 CUILLERÉES DE SUCRE.

- Cueillir les framboises et les déposer dans un panier en osier pour en préserver la fraîcheur.
- Mettre les framboises dans un récipient et les saupoudrer avec le sucre. Laisser reposer durant une journée.
- Mouiller les framboises avec le marc et laisser infuser quinze jours dans un lieu chaud, mais à l'abri du soleil. Agiter souvent le récipient.
- Placer la préparation à la cave et laisser reposer au moins quinze jours avant de consommer sans filtrer.

AVEC LES FRUITS ET LES FEUILLES DU CITRONNIER

Citrus limonum

Le jus de citron est un excellent tonique astringent pour la peau du visage ; utilisé dans l'eau de rinçage des shampooings, il assouplit et fait briller les cheveux.

Ce petit arbre à feuilles persistantes peut atteindre 10 m de haut à l'état sauvage, mais dépasse rarement 4 à 5 m quand il est cultivé. Son tronc est lisse et son écorce gris clair. Ses branches, souvent pourvues d'épines, portent des feuilles à pétiole, de forme elliptique, d'un vert foncé et brillant. Ses fleurs blanches ou rosées sont abondantes et très parfumées. Son fruit riche en sucre est protégé par une mince écorce de couleur verte avant sa maturité et d'un jaune soutenu une fois mûr. Originaire d'Asie, le citronnier s'est bien acclimaté dans tous les pays du bassin méditerranéen.

RÉCOLTE
Les feuilles, les rameaux les plus fins et les fleurs, et surtout les fruits, dont on utilise notamment le jus ou l'écorce riche en huile essentielle.

PROPRIÉTÉS
Riche en huiles aromatiques, en vitamine A, B et C, en sels minéraux. Action rafraîchissante, équilibrante, diurétique, digestive et astringente.

Citronnelle

50 CL D'ALCOOL À 95°, 50 CL D'EAU, 400 G DE SUCRE, LE JUS D'1 CITRON, LES ZESTES DE 6 CITRONS, 16 FEUILLES DE CITRONNIER.

- Mettre les zestes et les feuilles dans l'alcool, fermer le récipient soigneusement et laisser macérer pendant quinze jours dans un lieu sombre ; agiter de temps en temps.
- Ajouter à la préparation l'eau additionnée du jus de citron et du sucre. Laisser reposer durant une journée.
- Filtrer soigneusement et mettre en bouteille.
- Laisser vieillir un mois et déguster la citronnelle en digestif à la fin du repas ou, servie froid, en liqueur rafraîchissante.

Eau-de-vie au citron et au céleri

1 L DE MARC DE RAISIN AU GOÛT SEC, LE ZESTE D'1 CITRON, 1 CÉLERI EN BRANCHE

Voici une recette d'eau-de-vie quelque peu insolite, puisque le céleri est généralement absent des préparations de liqueurs domestiques. Ce légume riche en vitamines présente pourtant d'indéniables propriétés diurétiques et dépuratives. Nous n'énumérerons pas ici les très nombreuses vertus bien connues du citron, dont l'huile essentielle est surtout concentrée dans l'écorce. L'association que nous propose cette eau-de-vie est donc particulièrement séduisante.

- Sa préparation est simple : hacher le cœur du céleri et quelques-unes de ses feuilles (vertes et tendres) avec le zeste du citron. Mettre le tout à macérer dans le marc.
- Laisser le récipient soigneusement fermé dans un lieu chaud (mais non exposé directement au soleil) durant quinze jours environ, en le secouant de temps en temps.
- Filtrer et mettre en bouteille.

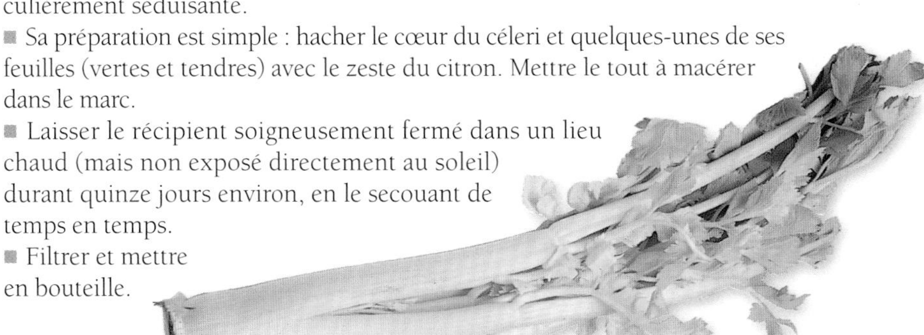

AVEC LES RACINES DE LA RÉGLISSE OFFICINALE

Eau-de-vie à la réglisse

1 L DE MARC DE RAISIN,

1 BÂTON DE RÉGLISSE.

■ Couper le bâton de réglisse en petits morceaux.
■ Verser le marc sur la réglisse et placer le récipient soigneusement fermé pendant un mois au soleil.
■ Mettre la préparation à reposer à la cave un mois durant.
■ Filtrer soigneusement et laisser vieillir au moins quatre mois avant de consommer.

« Garten »

1 L DE MARC DE RAISIN, 1 BÂTON DE RÉGLISSE, 20 CAPITULES DE CAMOMILLE COMMUNE, 15 FEUILLES DE MENTHE.

■ Mettre les feuilles de menthe, les capitules de camomille et le bâton de réglisse à macérer dans le marc durant quelques jours (dix au maximum), en plaçant le récipient dans un lieu chaud mais non exposé directement au soleil.
■ Filtrer la préparation et mettre en bouteille.
■ Laisser reposer quinze jours à la cave avant de consommer.

Glycyrrhiza glabra

Les racines rhizomateuses de la réglisse officinale, brunes à l'extérieur et d'un beau jaune à l'intérieur, sont utilisées en confiserie pour leur saveur sucrée (bâton et suc de réglisse) et en pharmacie pour leurs propriétés adoucissantes.

RÉCOLTE
La racine, prélevée à la fin de l'hiver et séchée au soleil.

PROPRIÉTÉS
A une action bénéfique sur les ulcères de l'estomac ; facilite la digestion et rafraîchit l'organisme.
► Les bâtons de réglisse, que mâchent les fumeurs et les alcooliques pour combattre leur dépendance, contiennent une substance qui favorise l'hypertension artérielle.

Cet arbuste qui pousse spontanément dans les pays méditerranéens a des petites feuilles ovales, légèrement poisseuses sur leur revers.

Avec les fleurs du HOUBLON

Humulus lupulus

Le houblon est utilisé dans la préparation de la bière qu'il éclaircit, empêche de se transformer en vinaigre et à laquelle il donne sa légère amertume caractéristique.

RÉCOLTE
Les fleurs femelles, en septembre.

PROPRIÉTÉS
Stimule l'appétit et facilite la digestion ; calme les nerfs.

Cette vivace grimpante a des feuilles rêches et découpées qui ressemblent beaucoup à celles de la vigne. Les fleurs femelles forment des petits cônes couverts d'une poussière jaune et odorante, la lupuline.

Eau-de-vie au houblon

1,5 L DE MARC DE RAISIN, 25 FLEURS DE HOUBLON,

3 CUILLERÉES DE SUCRE.

- Mettre les fleurs de houblon dans un récipient et les saupoudrer avec le sucre.
- Laisser reposer durant deux jours puis verser le marc.
- Fermer le récipient et le laisser au soleil pendant vingt jours, en l'agitant souvent.
- Laisser reposer un mois à la cave. Filtrer et laisser vieillir deux mois avant de consommer.

AVEC LES FRUITS DU MAÏS

Zea mays

C'est avec la farine de maïs qu'on prépare la polenta, plat typique de la cuisine traditionnelle du nord de l'Italie.

RÉCOLTE
L'épi encore vert, avec ses barbes, récolté en été.

PROPRIÉTÉS
Les barbes sont émollientes et diurétiques, et contiennent de la vitamine K.
► Le maïs a une valeur nutritive moindre que le blé et ralentit le processus métabolique.

Bien qu'il soit appelé aussi « blé de Turquie », le maïs est originaire du Mexique. Il est surtout cultivé comme plante fourragère. Ses graines sont regroupées sur de gros épis terminés par des barbes.

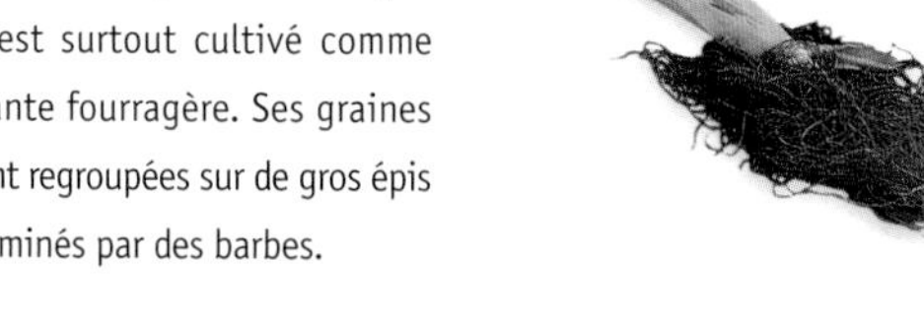

Les barbes présentes sur l'épi encore vert sont les stigmates de la fleur.

Eau-de-vie aux barbes de maïs

1,5 L DE MARC DE RAISIN,

2 ÉPIS VERTS DE MAÏS.

- Couper les épis de maïs en deux et les mettre dans un récipient à large ouverture.
- Verser le marc et laisser infuser au soleil durant une semaine, en remuant souvent la préparation.
- Placer le récipient dans un lieu chaud mais à l'ombre et faire macérer pendant deux autres semaines.
- Mettre la préparation à la cave et la laisser reposer pendant un mois.
- Filtrer et faire vieillir durant quatre mois au frais et dans l'obscurité.

AVEC DES MARASQUES ET DES GRIOTTES

Les marasques n'ont plus guère de valeur commerciale et ne sont, souvent, plus même cueillies.

RÉCOLTE
Les fruits mûrs, en juin.

PROPRIÉTÉS
Les marasques sont riches en vitamines A et B ; elles sont dépuratives et laxatives.

Prunus cerasus marasca

La pulpe des marasques peut être utilisée comme masque de beauté.

► *L'amande du noyau contient de l'acide cyanhydrique qui est un poison violent.*

Originaire des Balkans, cette variété de cerisier des régions méditerranéennes peut atteindre 8 m de haut. Ses branches minces ploient sous le poids des fruits rouge vif. Les feuilles sont ovales et d'un vert brillant. C'est avec ce type de cerise que l'on prépare le marasquin.

Rafraîchissantes, les marasques ont un goût acidulé.

Eau-de-vie de griottes

40 CL D'ALCOOL À 95°, 500 G DE GRIOTTES DÉNOYAUTÉES, 10 NOYAUX DE GRIOTTES CONCASSÉS, 10 FEUILLES DE GRIOTTIER, LE ZESTE D'1 CITRON, 5 CLOUS DE GIROFLE, 1 MORCEAU D'ÉCORCE DE CANNELLE (1 CM), 200 G DE SUCRE EN POUDRE.

- Mettre dans un récipient les feuilles, les aromates, les griottes écrasées et les noyaux concassés au mortier. Laisser reposer toute une journée.
- Ajouter l'alcool et le sucre. Laisser la préparation au soleil pendant une semaine, en la remuant deux fois par jour.
- Placer ensuite le récipient à l'ombre et dans un endroit frais, pendant cinq jours, en remuant son contenu deux fois par jour.
- Filtrer et laisser vieillir cinq mois avant de consommer.

Cherry

1 L DE MARC DE RAISIN, 1 KG DE MARASQUES MÛRES, 500 G DE SUCRE EN POUDRE.

- Laver les cerises et les dénoyauter. Les mettre dans un grand récipient.
- Saupoudrer les fruits de 8 cuillerées de sucre. Fermer soigneusement le récipient et l'exposer au soleil.
- Répéter l'opération trois jours de suite en remuant les cerises et en renouvelant le saupoudrage de sucre.
- Laisser reposer quinze jours dans un lieu chaud mais non ensoleillé.
- Filtrer avec soin et ajouter le marc. Mettre en bouteille et laisser vieillir un mois en cave avant de consommer.

Eau-de-vie liquoreuse aux marasques

1 L DE MARC DE RAISIN, 300 G DE MARASQUES

MÛRES, LE ZESTE D'1/2 CITRON, 2 CLOUS DE GIROFLE,

200 G DE SUCRE, 50 CL D'EAU DISTILLÉE.

- Mettre dans un récipient les marasques soigneusement nettoyées et verser sur elles un sirop fait à chaud avec l'eau distillée et le sucre.
- Ajouter le marc, les clous de girofle et le zeste du citron.
- Fermer soigneusement et mettre la préparation à la cave. Laisser infuser pendant quatre-vingts jours en agitant souvent le récipient.
- Filtrer, mettre en bouteille, boucher et cacheter de cire.
- Laisser vieillir quatre mois avant de déguster cette liqueur servie bien frais.

AVEC DES PÉPINS DE POMME

Malus domestica

La pulpe de la pomme peut être utilisée comme cosmétique : cuite et étalée comme une crème, elle assouplit la peau et décongestionne les muqueuses ; son jus frais est un excellent antirides.

Cet arbre fruitier compte un millier de variétés cultivées. Les pépins sont enfermés dans cinq loges cartilagineuses situées à l'intérieur de la chair du fruit. Les fleurs sont d'un blanc rosé.

Ce sont les pépins de pomme qui donnent sa saveur et sa couleur ambrée à l'eau-de-vie.

RÉCOLTE
Les pépins de pomme, prélevés toute l'année.

PROPRIÉTÉS
Stimule l'appétit et la digestion.

Eau-de-vie à la pomme

60 CL D'ALCOOL À 95°, PÉPINS DE POMME,

SUCRE EN POUDRE, EAU DISTILLÉE.

- Mettre les pépins de chaque pomme mangée dans une petite bouteille contenant 25 cl d'alcool, en vérifiant qu'ils soient bien immergés.
- Quand la bouteille est pleine de pépins, verser son contenu dans un récipient et ajouter 30 cl d'alcool.
- Laisser infuser durant deux mois au chaud, mais à l'abri du soleil.
- Filtrer et goûter la préparation. Si nécessaire, ajouter de l'eau distillée et du sucre.
- Laisser vieillir en cave durant quatre mois avant de consommer.

Avec les tiges et les feuilles de la Mélisse

Melissa officinalis

La mélisse est une herbacée fréquemment utilisée dans la préparation des liqueurs ; ses fleurs sont très appréciées des abeilles.

Herbe aromatique cultivée mais largement diffusée à l'état sauvage, la mélisse pousse au pied des murs et dans les pierres. Ses feuilles ovales, relativement grandes, ont des nervures très apparentes. Les jeunes plantes exhalent une agréable odeur de citron qui disparaît par la suite.

RÉCOLTE
Les tiges des jeunes plantes, au printemps.

PROPRIÉTÉS
Combat la fatigue, stimule la digestion, relaxe.

Eau-de-vie douce de mélisse

1 L DE MARC DE RAISIN, 5 JEUNES TIGES DE MÉLISSE, 2 CUILLERÉES DE MIEL MILLE-FLEURS.

- Mettre les tiges de mélisse dans un récipient et les recouvrir de marc.
- Ajouter le miel, fermer avec soin le récipient et le secouer énergiquement.
- Laisser infuser dans un lieu ensoleillé durant quinze jours, en agitant le récipient au moins deux fois par jour.
- Filtrer puis laisser vieillir en cave au moins vingt jours avant de consommer.

L'essence de mélisse pure est classée parmi les stupéfiants peu toxiques ; à faibles doses, elle provoque une torpeur et ralentit le rythme cardiaque.

Liqueur de la Chartreuse

30 CL D'ALCOOL À 95°, 30 CL D'EAU DISTILLÉE, 7 G DE MÉLISSE,

5 G DE BAIES DE GENIÈVRE, 5 G D'HYSOPE, 1 G D'ACORE ODORANT,

1 G DE CANNELLE, 1 G DE MACIS, 1 G DE CLOUS DE GIROFLE,

1 G DE NOIX MUSCADE, 450 G DE SUCRE EN POUDRE.

■ Mettre les aromates et l'alcool dans un récipient. Laisser infuser durant une quinzaine de jours, récipient fermé, en agitant celui-ci une fois par jour.
■ Filtrer en pressant bien. Ajouter le sucre fondu à feu doux dans l'eau distillée.
■ Filtrer et mettre en bouteille.
■ Laisser reposer quelques mois avant de consommer.

Eau de mélisse

1 L D'EAU-DE-VIE PEU ALCOOLISÉE, 20 G DE FEUILLES FRAÎCHES DE MÉLISSE,

15 G DE ZESTE DE CITRON,

3 G DE GRAINES D'ANGÉLIQUE,

3 G DE GRAINES DE CORIANDRE,

2 G DE CANNELLE,

0,5 G DE NOIX MUSCADE,

0,5 G DE CLOUS DE GIROFLE.

■ Faire macérer quinze jours les aromates dans l'eau-de-vie, en remuant de temps en temps le récipient.
■ Filtrer et conserver la préparation dans une bouteille bouchée. En cas de brûlures d'estomac, prendre une cuillerée de cette eau de mélisse diluée dans de l'eau.

AVEC LES FEUILLES DE LA MENTHE

Mentha

Dans la mythologie grecque, Menthé était une nymphe des enfers, courtisée par Hadès. Maltraitée par Perséphone qui en était jalouse, Menthé fut transformée par Hadès en la plante à laquelle elle donna son nom. Les vertus médicinales de la menthe sont connues depuis l'aube des temps. De l'essence de menthe est extrait le menthol, un alcool utilisé dans l'industrie pharmaceutique et cosmétique.

RÉCOLTE
Les feuilles, durant tout le cycle de la plante.

PROPRIÉTÉS
Calmante, antiseptique, digestive.

Les menthes, dont on connaît une vingtaine d'espèces, poussent dans toutes les régions tempérées, du niveau de la mer à 2 000 m d'altitude, et se plaisent dans les lieux humides. Ces herbacées vivaces aux feuilles dentées et fleurs rosées ont un parfum caractéristique. Nous avons regroupé ici toutes les espèces, qu'elles soient cultivées ou sauvages. La préparation est en effet identique quel que soit le type et, par ailleurs, il est souvent difficile de les distinguer dans la nature, leur hybridation étant spontanée.

Si l'industrie pharmaceutique et les herboristes utilisent surtout la *Mentha piperita*, les autres espèces (plus communes à l'état sauvage) ont les mêmes propriétés et vertus aromatiques.

Délice à la menthe

1 L DE MARC DE RAISIN OU D'ALCOOL À 95°,

UNE POIGNÉE DE FEUILLES DE MENTHE,

SUCRE EN POUDRE, EAU DISTILLÉE.

- Mettre les feuilles de menthe dans un récipient à large ouverture d'une contenance d'1 kg.
- Ajouter 4 à 5 cuillerées de sucre, fermer le récipient et le secouer.
- Laisser reposer la menthe dans le sucre durant deux à trois jours, en vérifiant que les feuilles ne moisissent pas.
- Remplir le récipient avec le marc ou l'alcool et y laisser infuser la menthe une semaine.
- Filtrer la préparation et, si vous avez utilisé l'alcool pour base, vous ajouterez à votre gré de l'eau distillée et du sucre.
- Le délice à la menthe peut être dégusté immédiatement et doit être servi frais.

Élixir anglais

40 CL D'ALCOOL À 95°, 10 FEUILLES DE MENTHE,

5 FEUILLES DE MÉLISSE, 1 PETITE CUILLER

DE GRAINES DE CORIANDRE, CANNELLE,

SUCRE EN POUDRE, 40 CL D'EAU DISTILLÉE.

- Mettre dans un récipient les feuilles de menthe et de mélisse. Les couvrir avec 3 cuillerées de sucre et laisser reposer durant deux jours.
- Ajouter l'alcool, les graines de coriandre et un petit morceau de cannelle.
- Laisser macérer à la cave pendant dix jours, en agitant le récipient au moins une fois par jour.
- Filtrer la préparation et ajouter l'eau distillée, dans laquelle on aura fait fondre à chaud 200 g de sucre.
- Laisser vieillir dans un lieu frais durant 4 mois avant de consommer.

Élixir de menthe

20 CL D'ALCOOL À 95°,

25 CL DE VIN BLANC SEC,

50 G DE MENTHE, 2 ZESTES

DE CITRON.

- Faire macérer dans un récipient les feuilles de menthe et l'alcool durant deux jours.
- Ajouter le vin et le zeste de citron. Laisser reposer deux jours et filtrer.
- Une variante consiste à ajouter 150 g de miel qui donnera une saveur plus agréable au palais.
- Consommer frais, un à deux petits verres par jour.

Désaltérante, l'élixir de menthe est aussi un stimulant du système nerveux.

La menthe fleurit à la fin du printemps ; ses fleurs roses sont réunies en épi.

L'eau-de-vie à la menthe consommée glacée est une délicieuse liqueur d'été.

Eau-de-vie à la menthe et au miel

1 L DE MARC DE RAISIN, 40 G DE MIEL,

10 FEUILLES DE MENTHE SAUVAGE.

■ Faire macérer la menthe et le miel dans le marc durant une quarantaine de jours ; le récipient, qui sera retourné de temps en temps, doit être placé en plein soleil.
■ Filtrer, mettre en bouteille et cacheter à la cire.
Vous aurez confectionné ainsi une liqueur très parfumée et au goût singulier, qui soulagera efficacement les troubles liés aux affections de la gorge et des bronches.

Eau-de-vie à la menthe

1 L DE MARC DE RAISIN,

30 FEUILLES FRAÎCHES

DE MENTHE.

■ Mettre la menthe et le marc dans un récipient en verre à fermeture hermétique. Laisser macérer durant cinq jours en plein soleil.
■ Au bout de cette première phase, placer le récipient à l'ombre et l'y laisser trois jours.
■ Filtrer et mettre en bouteille.
■ La légère amertume de cette eau-de-vie en fait un excellent digestif, surtout si elle est servie frais.

Avec du MIEL

La haute valeur énergétique du miel en fait un véritable « carburant » naturel de l'organisme en cas d'efforts physiques, qu'ils soient brefs ou prolongés. Le miel soutient l'enfant dans sa croissance et toute personne convalescente. Il a en outre des propriétés émolliente, fébrifuge, sédative, diurétique et antianémique. Enfin, il semblerait qu'il ralentisse le vieillissement.

PROPRIÉTÉS
Le miel contient divers types de sucres, des vitamines, des protéines, tous les principaux acides aminés, ainsi que différents sels minéraux.

Unique aliment sucré connu de l'homme durant des milliers d'années, le miel a longtemps été considéré comme le remède souverain d'un grand nombre de maux. Il est élaboré par les abeilles à partir du nectar, substance sucrée que celles-ci prélèvent sur les fleurs. La composition du miel dépend de celle du nectar ou des nectars et, par ailleurs, de facteurs extérieurs tels que la manière de le récolter et les méthodes, plus ou moins industrielles, de le préparer et de le conserver.

Eau-de-vie au miel

1 L DE MARC DE RAISIN, 50 G DE MIEL, 2 G D'ÉCORCE DE CANNELLE, 3 CLOUS DE GIROFLE, LE ZESTE D'1 CITRON.

- Faire macérer les aromates dans 25 cl de marc durant dix jours, en agitant de temps à autre le récipient soigneusement fermé.
- Filtrer. Faire fondre au bain-marie le miel dans le reste du marc et le mélanger à la préparation.
- Mettre en bouteille, boucher et cacheter à la cire.
- Attendre au moins trois mois avant de déguster ce délice qui est aussi un excellent fortifiant.

Eau-de-vie au miel et à l'eucalyptus

1 L DE MARC DE RAISIN,

40 G DE MIEL, 10 G DE FEUILLES

D'EUCALYPTUS.

Les propriétés balsamiques et expectorantes de l'eucalyptus, très utilisé en herboristerie, sont bien connues. Les feuilles de cet arbre de haut fût sont ici les protagonistes d'une eau-de-vie aussi savoureuse que bienfaisante.

- Mettre les feuilles et 25 cl de marc dans un récipient. Fermer et laisser macérer durant trente jours en agitant le récipient de temps en temps.
- Filtrer. Faire au bain-marie et à feu doux un sirop avec le miel et le reste du marc.
- Mélanger le sirop et la préparation filtrée.

Prendre chaque jour après le repas principal un demi-verre de cette eau-de-vie qui soulagera toux, rhumes ou bronchites.

Hydromel

35 CL D'ALCOOL À 90°, 1 L D'EAU,

400 G DE MIEL, 2 G D'ÉCORCE DE CANNELLE,

0,5 G DE CLOUS DE GIROFLE,

1 ZESTE DE CITRON.

Serait-ce la boisson des dieux que célébrait Platon ? On serait tenté de répondre par l'affirmative après l'avoir goûtée.

- Faire macérer dans l'alcool la cannelle, les clous de girofle et le zeste de citron durant dix jours, récipient soigneusement fermé.
- Filtrer.
- Mélanger le miel à l'eau et faire bouillir jusqu'à ce que la solution ait réduit de moitié ; laisser tiédir et verser sur la préparation filtrée.
- Une fois froide, mettre en bouteille, fermer avec un bouchon de liège et cacheter à la cire.

Quand vous porterez cette liqueur à vos lèvres, il vous semblera embrasser Vénus elle-même. Cet hydromel est par ailleurs un reconstituant très efficace.

AVEC LES BAIES DE LA MYRTILLE

Vaccinium myrtillus

La consommation de myrtilles fraîches améliore la vision nocturne, en la rendant moins sujette à l'éblouissement. Les beaux oiseaux qui vivent dans les forêts (coqs de bruyère et autres tétras) sont très friands de ces baies.

RÉCOLTE
Les baies mûres, en été. Il existe une cuiller spéciale pour la récolte des myrtilles.

PROPRIÉTÉS
Riche en vitamines A et C ; antidiarrhéique.

Cet arbuste peut atteindre 50 cm de haut. Ses rameaux et ses feuilles sont d'un vert soutenu. Ses baies noires comestibles, très recherchées, mûrissent en été.

Eau-de-vie à la myrtille

5 L DE MARC DE RAISIN, 300 G DE MYRTILLES,

4 CUILLERÉES DE SUCRE.

- Cueillir les myrtilles mûres et les laisser sécher à l'ombre, durant trois jours, sur une feuille de papier de ménage absorbant.
- Les mettre dans un récipient, les saupoudrer avec le sucre et les laisser s'imprégner pendant deux jours.
- Mouiller le tout avec le marc et laisser macérer un mois, en remuant fréquemment le récipient.
- Placer la préparation à la cave et laisser reposer durant deux mois avant de consommer sans filtrer.

Avec les baies de la MYRTE

Myrtus communis

La myrte commune est un arbuste très ancien. À l'égal du laurier, son feuillage tressé couronnait les héros et les poètes. Aujourd'hui encore la myrte orne les mariées et les massifs de fleurs.

RÉCOLTE
Les baies mûres, en automne-hiver.

PROPRIÉTÉS
Digestive et astringente.

Arbuste pouvant atteindre 3 m de haut et commun dans les régions côtières de la Méditerranée, où il constitue, avec d'autres essences, la végétation dite méditerranéenne. Ses feuilles persistantes sont brillantes et parfumées, ses fleurs blanches s'ouvrent en mai. Son fruit, arrivé à maturité à la fin de l'automne, prend une teinte bleu-noir

Feuilles et baies de myrte, très parfumées, aromatisent les viandes et le gibier.

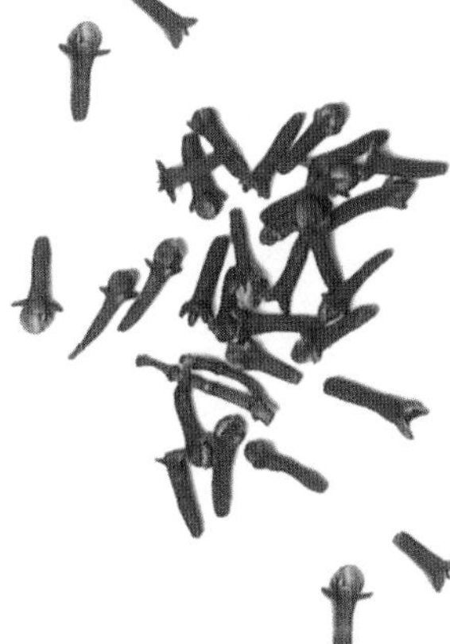

Liqueur de myrte

60 CL D'ALCOOL À 95°, 300 G DE BAIES DE MYRTE,

LE ZESTE D'1 CITRON, 5 CLOUS DE GIROFLE, CANNELLE,

SUCRE EN POUDRE, EAU DISTILLÉE.

- Mettre les baies mûres dans un grand récipient et les recouvrir de 5 cuillerées de sucre.
- Fermer soigneusement le récipient et laisser reposer durant trois jours.
- Ajouter les clous de girofle, le zeste de citron et un morceau de cannelle de 3 cm de long.

Au printemps, les fleurs de myrte embellissent la végétation méditerranéenne.

■ Mouiller le tout avec l'alcool et fermer hermétiquement. Laisser macérer à la cave durant deux mois, en agitant fréquemment le récipient.
■ Puis laisser reposer pendant quinze jours, toujours dans un lieu frais.
■ Filtrer avec soin, en pressant légèrement les baies, et ajouter, à votre gré, l'eau distillée et le sucre. Laisser vieillir durant quatre mois avant de consommer.

Myrte – 1

30 CL D'ALCOOL À 95°, 300 G DE BAIES DE MYRTE, 10 CUILLERÉES DE SUCRE, 1 VERRE D'EAU DISTILLÉE.

■ Faire sécher les baies mûres au soleil durant une dizaine de jours.
■ Les nettoyer soigneusement dans un torchon sec puis les mettre dans une bouteille de verre sombre.
■ Ajouter 6 cuillerées de sucre et 15 cl d'alcool.
■ Boucher la bouteille avec soin et l'exposer au soleil durant quatre jours, en la remuant souvent.
■ Ajouter le reste de l'alcool et le reste du sucre, fondu à chaud dans l'eau distillée.
■ Laisser reposer à la cave pendant deux mois.
■ Filtrer et presser légèrement les baies pour extraire le liquide très aromatisé qu'elles contiennent.
■ Laisser vieillir durant quatre mois avant de consommer.

Myrte – 2

1 L D'ALCOOL À 90°, 600 G DE BAIES DE MYRTE MÛRES, 2 L D'EAU DISTILLÉE, 500 G DE SUCRE OU 600 G DE MIEL.

■ Nettoyer les baies dans un torchon épais puis les mettre dans un récipient en verre sombre où l'on aura déjà versé l'alcool. Laisser infuser durant quinze jours.
■ Au bout de cette période, passer, filtrer et presser avec les doigts les baies macérées encore riches en arôme.
■ Ajouter à l'alcool 2 l de sirop froid composé d'eau distillée, de sucre ou de miel. Transvaser dans des bouteilles sombres.

Avec les fruits du NÉFLIER

Mespilus germanica

Les propriétés médicinales de cet arbre, originaire du Caucase, et ses fruits étaient autrefois très appréciées.

Petit arbre fruitier cultivé, qui peut atteindre 6 m de haut et que l'on trouve parfois à l'état sauvage dans les campagnes. Ses feuilles sont grandes et légèrement duveteuses sur leur face inférieure. Ses fleurs blanches s'épanouissent en mai.
Ses fruits, de couleur brune, mûrissent de l'automne à l'hiver et sont comestibles crus lorsqu'ils ont été atteints par le gel.

RÉCOLTE
Les nèfles, cueillies à l'automne, seront laissées dans un panier durant un mois afin de les attendrir, en compagnie d'une pomme.

PROPRIÉTÉS
Les fruits sont astringents et fébrifuges.

Liqueur aux nèfles

50 CL D'ALCOOL À 95°, 8 NÈFLES,

SUCRE EN POUDRE, EAU DISTILLÉE.

- Envelopper les nèfles devenues presque molles dans un morceau de gaze et les suspendre dans un récipient à large ouverture.
- Verser l'alcool sur les fruits et fermer soigneusement le récipient.
- Faire macérer à la cave durant soixante-dix jours.
- Ôter les nèfles, goûter la préparation et, si nécessaire, ajouter de l'eau distillée et du sucre.
- Laisser vieillir en cave durant quatre mois avant de consommer.

AVEC LES FRUITS DU NOYER

Juglans regia

Le noyer, originaire d'Asie Mineure, a été naturalisé dans presque toute l'Europe. Au Moyen Âge, son fruit passait pour soigner les maladies mentales, à cause de la ressemblance entre la forme des cerneaux et celle du cerveau humain. Le noyer avait en outre la réputation d'abriter sous ses longues branches les assemblées nocturnes des sorcières. Son bois dur, foncé et souvent veiné est très estimé en ébénisterie et apprécié des sculpteurs.

Le tronc, imposant chez les sujets adultes, a une écorce grise d'abord lisse puis marquée parfois de profondes fissures. Les feuilles pennées comptent sept petites feuilles sur la même tige mince. Les noix sont entourées d'une écale verte (brou) qui sèche en automne et libère le fruit mûr.

Le noyer est un arbre majestueux avec une ample couronne et des branches robustes.

RÉCOLTE
Les noix encore vertes (dans leur brou) seront cueillies en juin. La tradition veut que le moment le plus propice soit la nuit du 24 juin.

PROPRIÉTÉS
L'huile de noix est un reconstituant efficace. La décoction de feuilles de noyer, en usage externe, freine la chute des cheveux et limite la formation des pellicules.

Parce qu'ils noircissent vite, les fruits doivent être mis à macérer aussitôt après la cueillette.

Liqueur aux noix

1 L D'ALCOOL À 95°, 30 NOIX VERTES, CLOUS DE GIROFLE, CANNELLE, ANIS ÉTOILÉ, SUCRE EN POUDRE, EAU DISTILLÉE.

- Mettre les noix vertes dans l'alcool et ajouter 500 g de sucre. Les noix peuvent être gardées entières ; coupées en deux par la longueur, elles donneront une préparation d'une teinte plus soutenue.
- Pour aromatiser davantage la liqueur, on ajoutera en faibles quantités de la cannelle, des clous de girofle et de l'anis étoilé.
- Fermer le récipient et laisser macérer à la cave durant soixante à soixante-dix jours.
- Filtrer et allonger à son gré avec de l'eau distillée. Si nécessaire, rajouter du sucre.
- Laisser vieillir à la cave au moins jusqu'aux premières soirées d'hiver.

Liqueur de brou de noix

40 CL D'ALCOOL À 95°, 19 NOIX VERTES, LE ZESTE DE 3 CITRONS, 4 CLOUS DE GIROFLE, CANNELLE, 500 G DE SUCRE, 40 CL D'EAU DISTILLÉE.

- Le 24 juin, se procurer des noix vertes puis les couper en quatre et les mettre à macérer dans l'alcool.
- Au bout de deux jours, ajouter les clous de girofle, un morceau d'écorce de cannelle et le zeste de citron.
- Laisser vieillir jusqu'au 3 août en agitant souvent le récipient.
- Filtrer et ajouter le sucre fondu dans l'eau distillée.
- Laisser vieillir quatre mois avant de consommer.

Eau-de-vie aux noix

1 L DE MARC DE RAISIN, 7 NOIX ENCORE VERTES PLUTÔT PETITES, 125 G DE SUCRE EN POUDRE, EAU DISTILLÉE.

■ Couper les noix en quatre et les mettre dans un récipient en verre avec le marc. Laisser macérer durant une quarantaine de jours dans un lieu chaud, en agitant de temps en temps le récipient.

■ Filtrer soigneusement et ajouter le sucre fondu dans un peu d'eau distillée, au bain-marie.

■ Laisser refroidir la préparation puis la mettre en bouteille.

■ Attendre une trentaine de jours avant de goûter.

■ Avec les noix, on peut faire macérer un morceau d'écorce de cannelle concassée et deux ou trois clous de girofle. La quantité de sucre aussi peut varier en fonction du goût de chacun.

Eau-de-vie stomachique

1 L DE MARC DE RAISIN, 200 G DE SUCRE, 4 POIGNÉES DE NOIX VERTES.

■ Mettre dans une grande bouteille le marc, les noix vertes et le sucre. Fermer la bouteille et la mettre au soleil sur le bord d'une fenêtre pendant six semaines.

■ Au terme de ce temps de macération, filtrer et transvaser dans les flacons définitifs.

Vous aurez confectionné une liqueur tonique qui apaisera les douleurs d'estomac et les maux de ventre.

AVEC LES FRUITS DE L'OLIVIER

Olea europaea

La culture de l'olivier représente une part importante du revenu agricole dans les pays méditerranéens. L'huile extraite des olives pressées est déjà mentionnée dans le livre de la Genèse. Originaire de l'Asie Mineure, l'olivier aurait été introduit en Europe, par la Grèce, au Ier millénaire avant notre ère. Son bois est utilisé en menuiserie et il est très apprécié des sculpteurs, qui en exploitent les belles veines.

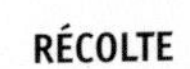

Arbre au tronc souvent tourmenté et détérioré chez les sujets les plus âgés. Les fleurs, petites et blanches, s'épanouissent à la fin du printemps, et c'est à l'automne que mûrissent les drupes charnues.

RÉCOLTE
Les olives bien mûres, au début de l'automne.

PROPRIÉTÉS
Laxatif, digestif et diurétique.

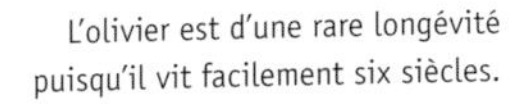

L'olivier est d'une rare longévité puisqu'il vit facilement six siècles.

Les olives fraîchement cueillies et non traitées ont une saveur très amère.

L'olivier est présent dans tous les pays du bassin méditerranéen.

Eau-de-vie douce aux olives

2 L DE MARC DE RAISIN, 2,5 KG D'OLIVES NOIRES,

700 G DE SUCRE EN POUDRE.

- Mettre les olives dans une dame-jeanne à large ouverture, d'une contenance de 5 l. Verser le marc qui doit recouvrir totalement les fruits. Ajouter le sucre.
- Laisser infuser les olives dans la dame-jeanne fermée durant soixante-dix jours au moins (ou davantage, jusqu'à six mois), en ajoutant si nécessaire un peu de marc afin que les olives soient toujours parfaitement immergées.
- Filtrer la préparation et, si son goût est trop fort, l'allonger avec du marc. Laisser reposer durant une quinzaine de jours avant de consommer.

AVEC LES TIGES, LES FEUILLES ET LES FLEURS DE L'ORIGAN

Origanum vulgare

Cette herbe officinale est connue pour ses vertus depuis l'Antiquité. Le torticolis peut être soulagé en appliquant sur la partie douloureuse un mouchoir dans lequel on aura enfermé des fleurs d'origan chauffées rapidement au four à micro-ondes. L'origan, qui parfume toutes sortes de mets, est une herbe culinaire très populaire dans le Midi.

RÉCOLTE
Les tiges fleuries, en été.

PROPRIÉTÉS
Stimule l'appétit et facilite la digestion. Apaise les douleurs des menstruations et libère les voies respiratoires.

Cette vivace à la tige érigée et rougeâtre vit sur des terrains calcaires bien exposés au soleil. Ses feuilles sont couvertes d'un fin duvet. Ses fleurs, présentes de juillet à septembre et très odorantes, ont une couleur rose et pourpre.

L'origan pousse parfaitement sur les balcons des habitations.

Eau-de-vie à l'origan

1 L DE MARC DE RAISIN,

7 TIGES FLEURIES D'ORIGAN,

4 C. DE SUCRE EN POUDRE.

- Mettre dans un récipient l'origan, les fleurs tournées vers le bas.
- Saupoudrer avec le sucre et laisser reposer durant trois jours au soleil.
- Verser le marc sur l'origan et fermer soigneusement le récipient. Laisser infuser à la cave un mois au minimum.
- Filtrer et laisser reposer durant quinze jours avant de consommer.

AVEC LES FRUITS DU PIMENT

Capsicum annuum

Commercialisé par les marchands espagnols, le piment est devenu une épice très prisée à la fin du XVIe siècle. Aujourd'hui, il joue toujours un rôle important dans l'alimentation des peuples du bassin méditerranéen, d'Asie et d'Afrique. Sa saveur piquante lui vient d'une substance appelée capsicine qui, mise en contact avec la peau, provoque rougeur et irritation.

Petite plante potagère aux feuilles d'un vert brillant et dont les fruits, d'abord verts, virent à l'orange puis au rouge carmin.

RÉCOLTE
Les fruits, en pleine maturation avec un bout de tige.

PROPRIÉTÉS
Apéritif, stimulant, tonique.
► Une consommation trop importante peut provoquer une inflammation des reins et de l'appareil digestif.

Eau-de-vie piquante

50 CL DE MARC DE RAISIN, 10 PIMENTS PIQUANTS FRAIS, 3 CUILLERÉES DE SUCRE.

- Mettre les piments dans le marc et ajouter le sucre.
- Laisser infuser durant un mois, en remuant souvent.
- Filtrer et laisser reposer dans l'obscurité pendant deux mois avant de consommer.

Cette infusion, à la saveur très forte, est à consommer avec prudence.

AVEC LES FRUITS DU POIRIER

Pirus communis

Son bois est utilisé pour fabriquer des meubles de prix, des tables en particulier, et des instruments de musique.

Originaire de l'Europe du Sud-Est et de l'Asie, le poirier, dont il existe un grand nombre de variétés, est cultivé depuis le Ier siècle de notre ère. Cet arbre élancé peut atteindre 12 m de haut. Ses feuilles sont ovales et son écorce est sombre. Parfois indigestes, les poires sont savoureuses et riches en sucres, en minéraux et en pectine ; en revanche elles contiennent peu de vitamines.

RÉCOLTE
Les fruits, à la fin de l'été.

PROPRIÉTÉS
Astringent, antidiarrhéique.

Fruitier typique des zones de montagne, le poirier s'adapte aussi à la colline et aux climats plus secs.

Eau-de-vie de poire

1 L DE MARC DE RAISIN, 1 POIRE BIEN MÛRE, 5 CUILLERÉES DE SUCRE.

- Au printemps, introduire un fruit en formation, sans le détacher de l'arbre, dans une bouteille en verre à col court. Fixer solidement la bouteille à la branche.
- Laisser mûrir la poire à l'intérieur de la bouteille en s'assurant qu'elle peut s'y développer normalement.
- À la fin de l'été, quand le fruit est mûr, couper la queue en tenant la bouteille à l'horizontale afin que la poire ne tombe pas brutalement au fond.
- Verser le sucre et le marc dans la bouteille.
- Laisser infuser à la cave durant un mois, en agitant doucement une fois par jour.

Servir la préparation à une température assez basse, la poire joliment en vue dans la bouteille.

Les fleurs de poirier ont cinq pétales. De couleur blanche, elles forment des petits bouquets à la base des bourgeons.

Eau-de-vie aux williams

1 L DE MARC DE RAISIN, 2 POIRES WILLIAMS BIEN MÛRES, 4 CUILLERÉES DE SUCRE.

- Verser le sucre dans un récipient puis suspendre dans celui-ci les poires bien mûres selon la méthode de la gaze (voir p. 12-13).
- Verser le marc sur les fruits et remplir le récipient en laissant un espace de 3 cm entre l'alcool et les poires.
- Fermer hermétiquement et laisser reposer à la cave durant soixante-dix jours.
- Ôter les poires et servir frais.

AVEC LES FRUITS DU PÊCHER

Prunus persica

Si vous voulez réussir pleinement votre liqueur, ne vous fiez pas aux pêches vendues dans le commerce ; cueillies encore vertes, elles sont peu parfumées. Choisissez des fruits que vous cueillerez vous-mêmes : leur peau doit être d'une belle couleur rosée et la chair tendre près du noyau.

RÉCOLTE
Les fruits mûrs.

PROPRIÉTÉS
Diurétique, relaxant, vermifuge.
► L'acide cyanhydrique, hautement toxique, est présent dans tout le noyau. Par ailleurs, il faut éviter de boire de grandes quantités d'eau si l'on mange beaucoup de pêches.

Ce petit arbre atteint 5 à 6 m de haut. Son écorce est brun rouge chez les sujets jeunes, gris chez les adultes ; ses feuilles sont allongées, lancéolées, dentées et d'un vert brillant ; les fleurs, qui apparaissent avant les feuilles, ont cinq pétales de couleur rose. Le fruit est une drupe renfermant un noyau ligneux d'une couleur généralement rougeâtre ; la chair de la pêche est juteuse et sa couleur varie du blanc au jaune et au rouge. Le pêcher est cultivé dans des régions de collines bien exposées.

Eau-de-vie à la pêche

1 L DE MARC DE RAISIN, 40 G DE SUCRE EN POUDRE, 1 GROSSE PÊCHE MÛRE.

■ Mettre la pêche dénoyautée et coupée en quatre dans 25 cl de marc d'excellente qualité. Laisser macérer pendant vingt jours, récipient fermé.
■ Filtrer et ajouter le reste du marc dans lequel on aura fait fondre le sucre au bain-marie.
■ Laisser reposer une journée et mettre en bouteille. À déguster entre les repas – la valeur de deux petits verres – afin de bénéficier de ses vertus diurétiques et rafraîchissantes.

AVEC LES CÔNES DU PIN DE MONTAGNE

Pinus mugo

L'essence extraite du pin de montagne est largement employée dans l'industrie des cosmétiques pour parfumer des produits de toilette. Dans la nature, il stabilise les terrains pierreux et prévient les éboulements.

RÉCOLTE
Les jeunes pousses et les petites pommes de pin encore vertes, au début de l'été. À ne prélever que sur des sujets adultes.

PROPRIÉTÉS
Facilite la guérison des inflammations des bronches.

Cette variété de pin très résistante croît en formations serrées sur les pentes montagneuses couvertes de neige une bonne partie de l'année. Ses longues aiguilles sont regroupées à leur base. Ses branches, souvent couchées, se redressent chez les sujets qui vivent à l'abri du vent.

Eau-de-vie au pin de montagne – 1

1 L DE MARC DE RAISIN, 6 POUSSES DE PIN DE MONTAGNE, SUCRE EN POUDRE.

- Mettre dans un récipient les pousses de pin et les saupoudrer de 2 cuillerées de sucre. Laisser reposer durant deux jours.
- Ajouter le marc et exposer le récipient au soleil pendant un mois et demi, en le remuant souvent.
- Bien filtrer et laisser vieillir en cave deux mois.

Eau-de-vie au pin de montagne - 2

MARC DE RAISIN OU ALCOOL À 95°, POUSSES ET POMMES DE PIN, SUCRE EN POUDRE, EAU DISTILLÉE.

- Choisir un récipient en verre à large ouverture, d'une capacité d'1 l. Y mettre les pousses et les pommes de pin encore vertes coupées en deux dans le sens de la longueur.
- Saupoudrer de 5 cuillerées de sucre et agiter le récipient afin de bien distribuer le sucre.
- Fermer soigneusement et laisser reposer dans l'obscurité durant dix jours.
- Ajouter l'alcool ou le marc de manière à recouvrir complètement les pommes de pin. Fermer le récipient et laisser infuser durant un mois.
- Filtrer la préparation et allonger à sa convenance avec de l'eau distillée et du sucre – si la base est l'alcool – ou avec du marc.
- Laisser vieillir quatre mois en cave avant de consommer.

Ce pin de petite taille croît en général sur des terrains escarpés et pierreux, exposés à des vents forts.

Le pin de montagne est reconnaissable à ses branches couchées, ses aiguilles courtes et ses pommes de pin très petites.

AVEC LES FLEURS DE LA PRIMEVÈRE

La primevère pousse spontanément dans les bois, près des ruisseaux, le long des murs et en terrains calcaires.

Primula elatior

Infusées, les fleurs de primevère donnent un thé savoureux, dépourvu de toute substance excitante.

Cette primevère dite « élevée » à cause de sa tige d'une vingtaine de centimètres, fleurit tôt dans les prés de montagne. Ses fleurs jaune pâle sont réunies en fascicule. Ses feuilles sont ovales et rugueuses.

RÉCOLTE
Les fleurs, en avril-mai.

PROPRIÉTÉS
Aide à lutter contre les affections respiratoires.

Eau-de-vie délicate

1 L DE MARC DE RAISIN, 20 FLEURS DE PRIMEVÈRE, 2 CUILLERÉES DE SUCRE.

- Cueillir les fleurs et les mettre dans un récipient. Les saupoudrer avec le sucre et les laisser reposer durant une journée.
- Verser le marc et laisser infuser, à l'abri du soleil, durant dix jours, en agitant souvent le récipient.
- Laisser macérer quinze jours puis filtrer.
- Faire vieillir en cave durant deux mois avant de consommer.

AVEC LES FRUITS DU PRUNELLIER

Prunus spinosa

Les oiseaux construisent souvent leur nid dans cet arbuste épineux, appelé aussi « épine noire », dont les rejets forment d'épais fourrés. Les feuilles du prunellier, séchées et mélangées au tabac, sont fumées.

Au début du printemps, le prunellier se couvre de fleurs blanches solitaires qui apparaissent en général avant les feuilles, petites, ovales et dentées. Les fruits, appelés prunelles, sont de petites sphères bleu ardoise, d'une saveur très acide.

Le feuillage dense et épineux du prunellier forme souvent des haies impénétrables.

Prunelle

50 CL D'ALCOOL À 95°, 20 PRUNELLES,

3 CLOUS DE GIROFLE, SUCRE EN POUDRE, EAU DISTILLÉE.

RÉCOLTE
Les prunelles mûres, cueillies immédiatement après la première gelée nocturne.

PROPRIÉTÉS
Astringent et dépuratif.

- Cueillir les prunelles et les faire sécher à l'ombre pendant une journée, sur du papier de ménage absorbant.
- Mettre les fruits dans un récipient et les saupoudrer de 5 cuillerées de sucre. Laisser reposer pendant deux jours.
- Couvrir avec l'alcool et ajouter les clous de girofle. Laisser infuser pendant quinze jours au chaud.
- Mettre le récipient à la cave et l'y laisser quarante-cinq jours.
- Filtrer soigneusement et ajouter selon son goût de l'eau distillée et du sucre.
- Laisser vieillir en cave durant six mois avant de consommer.

Avec les racines de la RHUBARBE

Rheum rhabarbarus

Jusqu'au XVIIIe siècle, la rhubarbe était un produit très coûteux, car importé d'Orient.

► *Son amertume se transmet au lait maternel.*

RÉCOLTE
La racine, en octobre.

PROPRIÉTÉS
C'est un bon laxatif ; stimule l'appétit et facilite la digestion.
► Les propriétés officinales sont concentrées dans le rhizome. Le limbe peut provoquer de graves intoxications.

Cette plante originaire de Chine et du Tibet a de vastes feuilles, de longs pétioles (comestibles dans certaines espèces) et des fleurs blanches groupées en panicules.

Eau-de-vie à la rhubarbe et aux clous de girofle

1 L DE MARC DE RAISIN, 2 RACINES DE RHUBARBE, LE ZESTE D'1/2 CITRON, 3 CLOUS DE GIROFLE, CANNELLE, 3 CUILLERÉES DE SUCRE.

■ Bien nettoyer les racines et les écraser légèrement au mortier.
■ Les mettre dans un récipient et les saupoudrer avec le sucre. Laisser reposer deux jours, récipient bien fermé.
■ Ajouter les clous de girofle, un morceau de cannelle, le zeste de citron et verser le marc.
■ Laisser infuser à la cave trois semaines, en agitant souvent le récipient.
■ Filtrer et laisser vieillir pendant trois mois.

Rhubarbe chinoise

20 CL D'ALCOOL À 95°,
25 CL D'EAU DISTILLÉE,
550 G DE SUCRE EN
POUDRE, 20 G DE
RHIZOME SÉCHÉ ET
PELÉ DE RHUBARBE.

■ Toute personne soucieuse de sa santé devrait toujours avoir cette liqueur sous la main. Sa préparation requiert peu d'ingrédients mais les liqueurs médicinales les plus efficaces sont souvent les plus simples.

■ Couper le rhizome de rhubarbe et le mettre dans un récipient avec l'alcool et 2 cl d'eau distillée. Laisser macérer durant une dizaine de jours.

■ Au bout de cette période, faire un sirop avec le sucre et le reste de l'eau distillée et l'ajouter à la préparation.

■ Mélanger, laisser reposer une demi-journée, filtrer et mettre en bouteille. Cette liqueur à la rhubarbe stimule efficacement l'appétit (un demi-verre avant de manger), aide les digestions difficiles (un petit verre une heure après les principaux repas), lutte contre la jaunisse (un bon demi-verre avant de manger) ; enfin, elle est un excellent purgatif (un bon demi-verre chaque matin pendant quinze jours).
Une cure au printemps et à l'automne est vivement recommandée.

AVEC LES FRUITS DU GROSEILLIER

Ribes rubrum

Les groseilles rouges sont riches en vitamine C ; écrasées, elles constituent... un excellent masque de beauté !

Souvent cultivé dans les jardins, ce petit arbuste pousse spontanément dans les régions montagneuses. Ses feuilles sont lobées et dentées ; ses fruits, rouge vif, arrivent à maturité au début de l'été sur les tiges âgées d'au moins deux ans.

RÉCOLTE
Les fruits mûrs, de juin à juillet.

PROPRIÉTÉS
Les groseilles sont purgatives et rafraîchissantes.

Eau-de-vie aromatique aux groseilles

1 L DE MARC DE RAISIN, 150 G DE GROSEILLES ROUGES, 5 CLOUS DE GIROFLE, CANNELLE, 4 CUILLERÉES DE SUCRE.

- Laver délicatement les groseilles à l'eau courante, les égoutter soigneusement et les laisser dans un torchon pendant une petite heure.
- Mettre les fruits dans un récipient avec un morceau de cannelle, les clous de girofle et le sucre.
- Couvrir le tout avec le marc.
- Laisser infuser durant quatre semaines à la cave, en remuant de temps en temps.
- Laisser reposer durant deux autres semaines puis filtrer.
- Prélever les fruits, qui seront consommés séparément, et laisser vieillir l'eau-de-vie en cave trois mois.

Présent en montagne jusqu'à 2 000 m d'altitude, le groseillier est cultivé pour la production de ses fruits.

Avec les fruits du CASSIS

Ribes nigrum

Les fruits du cassis, comme ceux du groseillier, sont riches en vitamine C mais d'une saveur plus acidulée. Ils entrent souvent dans la préparation de sauces et de liqueurs.

Très semblable au groseillier rouge, le cassis s'en distingue cependant par ses fruits plus gros et de couleur noire.

RÉCOLTE
Les fruits mûrs, de juin à juillet.

PROPRIÉTÉS
Les fruits sont purgatifs et rafraîchissants.

Eau-de-vie au cassis

1 L DE MARC DE RAISIN, 50 G DE BAIES DE CASSIS BIEN MÛRES, 3 CUILLERÉES DE SUCRE.

■ Faire macérer les cassis (mûrs et parfaitement sains), le marc et le sucre dans un lieu chaud durant une vingtaine de jours.
■ Transférer le tout dans une pièce à température constante et laisser reposer vingt autres jours. Filtrer et mettre en bouteille.
■ Laisser vieillir l'eau-de-vie durant quelques mois avant de la consommer.
■ Une variante consiste à faire macérer un morceau d'écorce de cannelle et deux ou trois clous de girofle avec les cassis. La quantité de sucre peut être modifiée selon le goût de chacun. Durant la phase de macération, ne pas oublier de remuer de temps en temps.

Cassis

1 L D'EAU-DE-VIE, 250 G DE SUCRE DE CANNE, 300 G DE CASSIS BIEN MÛRS, 3 G DE CLOUS DE GIROFLE, 0,5 G D'ÉCORCE DE CANNELLE.

Pour confectionner cette liqueur de cassis, on emploie de l'eau-de-vie.
■ Choisir des cassis bien mûrs. Les mettre à macérer dans l'eau-de-vie avec les aromates et le sucre, durant une trentaine de jours, en ayant soin de remuer chaque jour avec une cuiller en bois.
■ Écraser les cassis à la cuiller en bois, passer le tout, en pressant, dans un linge en lin. Mettre en bouteille.

AVEC LES FLEURS DU ROBINIER

Robinia pseudoacacia

Le robinier ou faux acacia, comme le micocoulier, est planté le long des routes et des voies de chemin de fer dont il consolide les levées. Les abeilles qui butinent ses fleurs fournissent un miel délicieux.

Au XVIIe siècle, Jean Robin, botaniste à la cour du roi de France, introduit cet arbre à feuilles caduques en Europe, où il s'adapte parfaitement. Ses rameaux épineux et ses feuilles pennées. Ses fleurs blanches en grappes pendantes qui s'épanouissent en mai sont très odorantes.

RÉCOLTE
Les fleurs, en mai.

PROPRIÉTÉS
Tonique, antispasmodique.

Eau-de-vie au robinier

1 L DE MARC DE RAISIN, 2 GRAPPES DE FLEURS DE ROBINIER, 3 CUILLERÉES DE SUCRE.

- Cueillir les fleurs de robinier non encore ouvertes.
- Les mettre dans un récipient et les recouvrir avec le sucre.
- Le jour suivant, verser le marc.
- Mettre à la cave et laisser infuser quinze jours, en remuant souvent le récipient.
- Filtrer soigneusement et laisser vieillir au frais pendant deux mois.

C'est la beauté de ses grappes de fleurs qui a valu une large diffusion au robinier, lequel pousse aujourd'hui spontanément sous nos climats.

AVEC LES FLEURS ET LES FRUITS DE L'ÉGLANTIER

Rosa canina

L'églantier, ou rosier des chiens, est utilisé comme porte-greffe de diverses variétés de rosiers cultivés.

RÉCOLTE
Les cynorhodons, après la première gelée.

PROPRIÉTÉS
Les fruits sont riches en vitamine C ; les feuilles et boutons de fleur sont légèrement laxatifs.

Cet arbuste épineux peut atteindre 2 à 3 m de haut. Ses feuilles composées ont de 5 à 7 folioles dentées et ses fleurs sont roses ou blanches. Les cynorhodons, ou *gratte-culs*, qui contiennent la graine, sont de couleur rouge à la fin de l'été.

Les pétales, agréablement parfumés, peuvent être utilisés pour préparer des infusions et des gelées.

Élixir de rose

40 CL D'ALCOOL À 95°, 35 CL D'EAU,

350 G DE SUCRE, 15 G DE PÉTALES

DE ROSE PARFUMÉE.

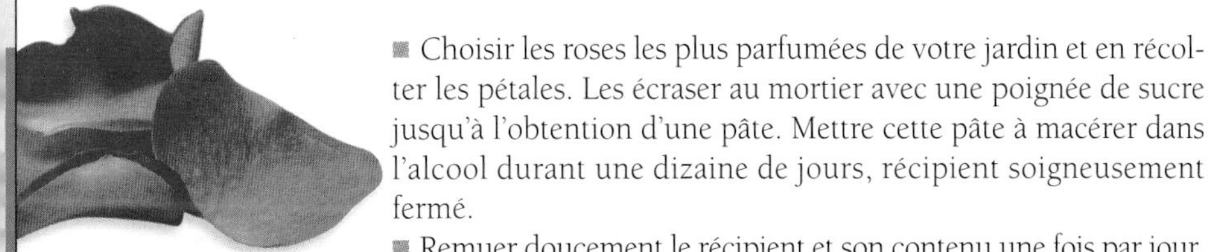

- Choisir les roses les plus parfumées de votre jardin et en récolter les pétales. Les écraser au mortier avec une poignée de sucre jusqu'à l'obtention d'une pâte. Mettre cette pâte à macérer dans l'alcool durant une dizaine de jours, récipient soigneusement fermé.
- Remuer doucement le récipient et son contenu une fois par jour.

■ À la fin de la période de macération, ajouter l'eau et le reste du sucre.
■ Laisser macérer une semaine supplémentaire en remuant de temps en temps. Filtrer dans une toile. Mettre en bouteille, boucher et cacheter à la cire.
■ Attendre au moins deux mois avant de consommer cet élixir qui charmera votre palais et celui de vos heureux invités.

Eau-de-vie d'églantier

1 L DE MARC DE RAISIN,

10 CYNORHODONS D'ÉGLANTIER.

■ Cueillir les cynorhodons bien mûrs. Les ouvrir et en éliminer les akènes et la peau en gardant le plus possible de pulpe.
■ Les mettre dans un récipient et les recouvrir de marc.
■ Laisser infuser dans un lieu chaud durant une vingtaine de jours.
■ Placer le récipient à la cave et laisser reposer deux semaines. Filtrer et attendre trois mois avant de consommer.

Les fruits du *Rosa rugosa*, autre variété d'églantier, peuvent être utilisés dans la préparation de liqueurs.

AVEC LES FEUILLES ET LES FLEURS DU ROMARIN

Eau-de-vie au romarin et au citron

1 L DE MARC DE RAISIN, 4 TIGES FLEURIES DE ROMARIN,

LE ZESTE D'1 CITRON, 3 CUILLERÉES DE SUCRE.

Séchées, les aiguilles du romarin perdent une grande partie de leur arôme.

- Couper les tiges fleuries et en détacher les feuilles et les fleurs.
- Mettre feuilles et fleurs dans un récipient avec le zeste de citron et le sucre.
- Verser le marc.
- Laisser infuser un mois dans un lieu chaud mais à l'abri du soleil, en agitant souvent le récipient.
- Placer la préparation à la cave et laisser reposer durant deux semaines.
- Filtrer et laisser vieillir quatre mois avant de consommer.

RÉCOLTE
Les tiges fleuries, qui peuvent être cueillies une grande partie de l'année.

PROPRIÉTÉS
Antidépressif et diurétique.

Rosmarinus officinalis

On considère que le romarin, absorbé en petites quantités, exerce une action positive sur le système nerveux.

Arbuste aromatique très commun sur le littoral méditerranéen, le romarin a des tiges ligneuses et un feuillage dru composé de feuilles étroites, opposées et persistantes. Ses fleurs sont bleutées.

AVEC LES FRUITS DE LA RONCE

Rubus fruticosus

Écrasées au mortier, les feuilles de ronce ont la réputation d'accélérer la guérison des plaies et des blessures. Leur décoction est un bon gargarisme et, mélangées à des feuilles de framboisier, elles donnent un thé excellent.

Plante vivace à grosses racines et longues tiges très épineuses. C'est à partir des fleurs, d'un blanc rosé au printemps, que se forment les fruits savoureux, d'abord rouges puis d'un noir bleuté. Les feuilles piquantes comptent de 3 à 5 folioles.

Eau-de-vie aux mûres de ronce

1 L DE MARC DE RAISIN, 200 G DE MÛRES DE RONCE, LE ZESTE D'1/2 CITRON, CANNELLE.

- Verser le marc sur les fruits, ajouter le zeste de citron et un morceau de cannelle, fermer soigneusement le récipient.
- Laisser macérer au soleil durant deux semaines.
- Placer le récipient à la cave et laisser reposer durant trois semaines.
- Filtrer avec soin pour éliminer les résidus de peau et d'éventuelles épines.
- Laisser vieillir en cave durant deux mois avant de consommer.

RÉCOLTE
Les fruits, en juillet et août.

PROPRIÉTÉS
Les feuilles et les fruits sont astringents, purgatifs et diurétiques.

AVEC LES FEUILLES ET LES FLEURS DE LA RUE

Eau-de-vie à la rue et au basilic

1 L DE MARC DE RAISIN, 3 RAMEAUX FLEURIS DE RUE, 2 FEUILLES DE BASILIC, 2 CUILLERÉES DE SUCRE.

- Plonger les 3 rameaux fleuris (ne pas dépasser ce nombre) dans le marc. Ajouter le sucre et les feuilles de basilic.
- Faire macérer une semaine dans un lieu chaud mais à l'abri du soleil, en remuant souvent.
- Laisser reposer à la cave pendant une semaine.
- Filtrer et laisser vieillir un mois au frais.

Ruta graveolens

Il semblerait que cette plante herbacée éloigne les serpents des jardins où elle est cultivée.

► *Absorbée à hautes doses, elle peut provoquer des inflammations urinaires et des avortements.*

La rue officinale est une vivace aux feuilles lisses d'un vert teinté de gris, et à petites fleurs jaunes qui s'épanouissent du printemps à l'été. Elle exhale une odeur forte et pénétrante.

RÉCOLTE
Les tiges fleuries, de mai à septembre.

PROPRIÉTÉS
Apaise les douleurs des menstruations ; stimule la digestion.

Riche en principes actifs, la rue officinale est souvent cultivée pour ses propriétés aromatiques et thérapeutiques.

AVEC LES FEUILLES DE LA SAUGE

Salvia officinalis

► *Si son rôle en cuisine est bien connu, la sauge doit cependant être consommée avec prudence car elle contient les mêmes principes que l'absinthe, toxiques pour le système nerveux.*

Arbrisseau pouvant atteindre 80 cm de haut et dont les feuilles et les tiges, couvertes d'un léger duvet, exhalent un parfum caractéristique.

RÉCOLTE
Les feuilles, à la fin du printemps.

PROPRIÉTÉS
Antispasmodique et stimulant.

La sauge est une plante aromatique qui parfume les potages, les viandes, les poissons et les légumes.

Eau-de-vie à la sauge

1 L DE MARC DE RAISIN, 30 FEUILLES DE SAUGE, LE ZESTE D'1 CITRON, 4 CUILLERÉES DE SUCRE.

- Mettre dans un récipient les feuilles de sauge. Les saupoudrer avec le sucre, ajouter le zeste de citron et couvrir le tout avec le marc.
- Laisser macérer durant quatre semaines dans un lieu chaud mais à l'abri du soleil, en agitant souvent le récipient.
- Placer la préparation à la cave et laisser reposer quinze jours.
- Filtrer soigneusement et faire vieillir quatre mois avant de consommer.

Avec les baies du SUREAU

Eau-de-vie au sureau

1 L DE MARC DE RAISIN, 2 GRAPPES DE BAIES DE SUREAU BIEN MÛRES, 5 CUILLERÉES DE SUCRE.

- Laver soigneusement les baies. Les mettre dans un récipient et les saupoudrer avec le sucre.
- Laisser reposer durant deux jours au soleil puis verser le marc sur les fruits.
- Placer à la cave et laisser vieillir pendant soixante-dix jours.
- Filtrer et garder à la cave durant un mois avant de consommer.

Sambucus nigra

Dépouillées de leur écorce, les branches de sureau sont utilisées pour fabriquer des manches d'outils agricoles, à la fois légers et résistants ; les branches doivent être enterrées au préalable durant quelques mois. On tire des différentes parties du sureau des teintures naturelles.

► *Ne pas consommer les baies du sureau, surtout lorsqu'elles sont vertes : elles provoquent nausées et vomissements.*

Cet arbrisseau à feuilles caduques est très commun sur les terrains riches en azote. Son écorce fendillée est gris-marron. Ses feuilles composées de 5 à 7 folioles dentées ont une odeur peu agréable. Ses fleurs blanches et petites sont réunies en grappes aplaties. Les baies mûres sont noires.

RÉCOLTE
Les baies, en juillet-août.

PROPRIÉTÉS
Dépuratif, laxatif, diurétique.

AVEC LES FRUITS DU SORBIER DES OISELEURS

Sorbus aucuparia

Le sorbier des oiseleurs doit son nom à l'usage qu'en faisaient les chasseurs ; ceux-ci le plantaient dans des fourrés où ils dissimulaient des pièges, ou en disséminaient les fruits non loin des cabanes de chasse pour attirer les oiseaux.

RÉCOLTE
Les petits fruits, cueillis immédiatement après la première gelée.

PROPRIÉTÉS
Les fruits sont astringents.

Cette variété de sorbier pousse dans les bois, les lieux rocheux et souvent en altitude. Ses feuilles pennées portent de nombreuses folioles en paires, au bord denté. À la fin du printemps, il se couvre de petites fleurs blanches regroupées en ombelles. À l'automne, ses très nombreux fruits rouges attirent les passereaux.

Liqueur aux fruits de sorbier

70 CL D'ALCOOL À 95°, 3 GRAPPES DE FRUITS DE SORBIER, LE ZESTE D'1 CITRON, 3 CLOUS DE GIROFLE, CANNELLE, 5 CUILLERÉES DE SUCRE.

- Cueillir les grappes de fruits mûrs.
- Les mettre dans un récipient à large ouverture et les saupoudrer avec le sucre.
- Laisser reposer, récipient fermé, pendant trois jours.
- Ajouter le zeste de citron, un morceau de cannelle et les clous de girofle.
- Verser l'alcool sur la préparation et refermer hermétiquement. Laisser infuser durant deux mois à la cave, en agitant souvent.
- Laisser reposer durant deux autres mois.
- Filtrer avec soin et attendre quatre mois avant de consommer.

Avec les fruits du PRUNIER

Alcool de prune

50 CL D'ALCOOL À 95°, 6 PRUNES MÛRES, LE ZESTE D'1 CITRON, 4 CLOUS DE GIROFLE, CANNELLE, SUCRE EN POUDRE, EAU DISTILLÉE.

- Envelopper les fruits dans un morceau de gaze et les suspendre dans un récipient à large ouverture.
- Verser l'alcool sur les prunes, ajouter le zeste de citron, un morceau de cannelle et les clous de girofle.
- Fermer soigneusement le récipient et le mettre à la cave. Laisser macérer durant quarante-cinq jours.
- Ôter les fruits et goûter la préparation ; ajouter de l'eau distillée et du sucre à votre convenance.
- Refermer le récipient et laisser vieillir en cave pendant quatre mois.

Prunus domestica

Le bois de prunier est très apprécié des ébénistes pour ses caractéristiques chromatiques.

RÉCOLTE
Les fruits mûrs, en été.

PROPRIÉTÉS
La prune séchée, ou pruneau, est bien connue pour ses effets laxatifs ; fraîche, elle est riche en vitamine A.

Petit arbre qui ne dépasse pas 7 m de haut, aux feuilles couvertes d'un léger duvet et aux fleurs blanches qui s'épanouissent en avril.

► Les prunes, qui ont différentes couleurs selon les variétés, renferment un noyau dont le contenu est toxique.

Avec les fleurs du TILLEUL

Tilia cordata

De tout temps considéré comme un arbre sacré, le tilleul à petites feuilles était planté dans les villes médiévales pour protéger leurs habitants du mauvais œil. Son bois tendre et uni est très apprécié des sculpteurs.

RÉCOLTE
Les fleurs non encore ouvertes, au printemps.

PROPRIÉTÉS
Favorise la guérison des rhumes ; émollient, sudorifique et sédatif.

Ce bel arbre ombrage les avenues et les parcs citadins. Il atteint 20 à 30 m de haut. Son écorce est lisse, gris foncé, et ses feuilles ont une forme de cœur. En juin, il se couvre de fleurs jaunes très parfumées.

Eau-de-vie au tilleul

1 L DE MARC DE RAISIN, UNE POIGNÉE DE FLEURS DE TILLEUL, 3 CUILLERÉES DE SUCRE.

- Mettre les fleurs dans un récipient et les recouvrir avec le sucre. Fermer soigneusement et laisser reposer durant deux jours.
- Verser le marc sur les fleurs, refermer le récipient et faire macérer dans une pièce chaude durant quarante-cinq jours, en agitant de temps en temps.
- Placer la préparation à la cave et laisser reposer un mois.
- Filtrer et laisser vieillir trois mois avant de consommer.

AVEC LES POUSSES DU THYM

Thymus vulgaris

Souvent cultivé dans les jardins comme plante aromatique, le thym commun peut être employé en compresse pour désinfecter les plaies ou en gargarisme pour atténuer les maux de gorge.

RÉCOLTE
Les branches fleuries, au printemps et en été.

PROPRIÉTÉS
Antiseptique, stimule l'appétit et tonifie.

Sous-arbrisseau à tige ligneuse de 30 cm de haut, le thym forme une boule drue de petites feuilles couvertes d'un mince duvet. Du printemps à l'automne, il se couvre de fleurs blanches ou roses. Dégage un agréable parfum.

Eau-de-vie au thym

1 L DE MARC DE RAISIN, 4 BRANCHES FLEURIES DE THYM, LE ZESTE D'1/2 CITRON, 4 CUILLERÉES DE SUCRE.

- Plonger le thym dans le marc.
- Ajouter le sucre et le zeste de citron.
- Laisser macérer dans une pièce chaude pendant quinze jours, en agitant souvent le récipient.
- Laisser reposer une semaine à la cave puis filtrer.
- Laisser vieillir durant un mois avant de consommer

Liqueur au thym – 1

30 CL D'ALCOOL À 95°, 40 CYMES FLEURIES DE THYM, 5 TIGES DE MARJOLAINE, 5 FEUILLES DE DICTAME (VARIÉTÉ D'ORIGAN), CANNELLE, NOIX MUSCADE, SUCRE EN POUDRE, EAU DISTILLÉE.

■ Mettre le thym, le dictame, la marjolaine, un morceau d'écorce de cannelle et un morceau de noix muscade dans un récipient.
■ Saupoudrer avec 4 cuillerées de sucre et laisser reposer durant une journée.
■ Verser l'alcool sur les aromates.
■ Laisser macérer durant dix jours puis filtrer.
■ Ajouter 30 cl d'eau distillée dans laquelle on aura fait fondre 200 g de sucre. Mélanger avec soin. Mettre la préparation à la cave et laisser vieillir quatre mois.

Liqueur au thym – 2

25 CL D'ALCOOL À 95°, 60 CL D'EAU DISTILLÉE, 550 G DE SUCRE, 20 G DE CYMES FLEURIES DE THYM, 3 G DE DICTAME, 3 G DE MARJOLAINE, 3 G DE LAVANDE, 3 G D'ÉCORCE DE CANNELLE, 3 G DE MACIS.

■ Mettre les aromates et l'alcool dans un récipient en verre à fermeture hermétique. Laisser macérer pendant dix jours.
■ Ajouter l'eau distillée dans laquelle on aura fait fondre le sucre. Mélanger avec soin et refermer le récipient. Laisser reposer la préparation durant une journée.
■ Filtrer et mettre en bouteille.
■ Attendre au moins trois mois avant de consommer.

Cette liqueur agréablement parfumée lutte efficacement contre les rhumes grâce à ses vertus balsamiques et antiseptiques.

Les recettes proposées dans cette page mentionnent, outre le thym, deux autres herbes aromatiques, le dictame et la marjolaine, dont le parfum est semblable à celui de l'origan.

Avec les fruits du GROSEILLIER À MAQUEREAU

Ribes grossularia

Cet arbuste a été introduit dans les pays du Bassin méditerranéen, depuis l'Europe du Nord, au XVe siècle.

► *Les fruits verts mangés en quantité importante peuvent occasionner des troubles.*

RÉCOLTE
Les fruits bien mûrs (éviter ceux encore verts), en juillet.

PROPRIÉTÉS
Stimule l'appétit et facilite la digestion. Diurétique et laxatif.

Le groseillier à maquereau, unique espèce du genre *Ribes* dont les tiges sont épineuses, atteint 1 m de haut. Ses feuilles ressemblent, en miniature, à celles de la vigne. À l'état sauvage, il donne des fruits de la grosseur d'un pois, teintés de rouge ou de jaune et couverts de poils.

Délice de groseilles à maquereau

1 L DE MARC DE RAISIN,

20 GROSEILLES À MAQUEREAU BIEN MÛRES, 2 FEUILLES FRAÎCHES DE BASILIC,

LE ZESTE D'1/2 CITRON,

4 CUILLERÉES DE SUCRE.

■ Mettre les groseilles dans un récipient, les couvrir de sucre et laisser reposer deux jours.
■ Verser le marc, ajouter les feuilles de basilic et le zeste de citron.
■ Faire macérer dans un lieu chaud mais à l'abri du soleil pendant trois semaines, en agitant souvent le récipient.
■ Placer la préparation à la cave et laisser reposer deux semaines.
■ Filtrer. Récupérer les groseilles et les remettre dans la préparation.
■ Laisser reposer un mois en cave avant de consommer.

En France et dans les pays anglo-saxons, les groseilles à maquereau sont souvent employées pour accompagner les viandes ou aromatiser les condiments.

Avec les fleurs du
BOUILLON-BLANC

Verbascum thapsus

Le bouillon-blanc, ou molène officinale, était déjà connu pour ses vertus médicinales dans la Rome antique. Ses feuilles bouillies dans du lait et appliquées atténuent les douleurs des engelures, des brûlures, des hémorroïdes et des inflammations génitales.

► *Son épais duvet blanc est très irritant pour la gorge.*

RÉCOLTE
Les fleurs, en juillet-août.

PROPRIÉTÉS
Calme la toux et combat les inflammations de la gorge.

Grande plante bisannuelle dont la tige robuste et non ramifiée se termine par un épi de fleurs jaunes. Feuilles larges, surtout à la base, recouvertes de poils.

Eau-de-vie au bouillon-blanc

1 L DE MARC DE RAISIN, 2 ÉPIS FLEURIS DE BOUILLON-BLANC,

2 CUILLERÉES DE SUCRE.

- Cueillir les épis quand les fleurs sont encore fermées. Les mettre dans un récipient et les saupoudrer avec le sucre.
- Laisser agir le sucre durant deux jours puis verser le marc.
- Laisser infuser durant trois semaines à la cave, en agitant le récipient de temps en temps.
- Laisser reposer une semaine avant de filtrer soigneusement afin d'éliminer le duvet des fleurs.
- Faire vieillir en cave quatre mois avant de consommer.

AVEC LES FRUITS DE LA VIGNE

Vitis vinifera

La Bible mentionne déjà la vigne, qui était cultivée dans l'ancienne Égypte. Le genre Vitis *compte une infinité d'espèces qui poussent dans les régions chaudes et tempérées.*

RÉCOLTE
Le raisin arrivé à maturité.

PROPRIÉTÉS
Énergétique, riche en minéraux, diurétique et laxatif.

Plante grimpante à feuilles alternes, entières ou découpées en 3 ou 5 lobes. À partir du cep se développent les sarments qui s'attachent au support par des vrilles. Les fleurs, très petites et groupées en grappes, sont vertes et jaunes ; la forme, la couleur et la saveur du fruit varient selon la variété.

Eau-de-vie de muscat

1 L DE MARC DE RAISIN AU GOÛT SEC,

20 GRAINS DE RAISIN MUSCAT BIEN MÛRS.

- Prélever sur une grappe de muscat une vingtaine de grains parfaitement sains et fermes. Les mettre à macérer dans le marc au soleil durant trois semaines.
- Filtrer et mettre en bouteille.
- Attendre quelques mois avant de déguster cette eau-de-vie.

Eau-de-vie au raisin

MARC DE RAISIN, 3 KG DE RAISIN BLANC SUCRÉ ET BIEN MÛR, 5 G DE CORIANDRE, 3 CLOUS DE GIROFLE, 1 G D'ÉCORCE DE CANNELLE.

■ Mettre la cannelle, la coriandre et les clous de girofle dans le marc et laisser macérer durant dix jours. Filtrer.
■ Cuire le raisin à feu doux pendant une heure, en remuant continuellement et sans ajouter d'eau.
■ Ôter du feu et écraser à la cuiller en bois afin d'extraire tout le jus des grains de raisin.
■ Ajouter le marc aromatisé à raison d'1 l par litre de jus de raisin.
■ Mélanger soigneusement et laisser reposer durant trente jours. Filtrer, mettre en bouteille, boucher et cacheter à la cire.
■ Attendre au moins trois mois avant de déguster cette liqueur dont la délicieuse saveur vous récompensera largement de vos efforts.

Eau-de-vie au « raisin fraise »

1 L DE MARC DE RAISIN AU GOÛT SEC, 20 GRAINS DE « RAISIN FRAISE ».

■ Le type de raisin choisi donne à cette eau-de-vie de raisin un petit goût de fraise très particulier.
■ Faire sécher deux grappes mûres de « raisin fraise » durant quarante jours au grenier, ou dans tout autre local bien aéré et abrité du soleil. Choisir une vingtaine de grains de raisin parfaitement sains et les mettre à macérer dans le marc durant vingt jours au soleil.
■ Laisser reposer la préparation à l'intérieur durant vingt autres jours puis filtrer et mettre en bouteille.
■ Attendre au moins six mois avant de découvrir une saveur qui surprendra agréablement votre palais.

AVEC DES FRUITS SECS OU FRAIS

Châtaignes à l'eau-de-vie

La châtaigne, sèche ou fraîche, se prête particulièrement bien à cette préparation.

■ Avant d'être mises à macérer dans le marc de raisin, les châtaignes sèches doivent tremper durant trois ou quatre heures afin de récupérer leur tendreté.

■ En revanche, les châtaignes fraîches seront grillées, décortiquées puis mises directement à macérer dans le marc.

Pour être de qualité, les fruits secs doivent être tendres et d'une couleur soutenue.

Eau-de-vie aux fruits secs

MARC DE RAISIN EN QUANTITÉ SUFFISANTE,

UN PANIER DE FRUITS SECS, 3 CUILLERÉES DE SUCRE.

■ Remplir un récipient à large ouverture de vos fruits secs préférés (prunes, raisin, abricots…).

■ Recouvrir les fruits avec le sucre et agiter le récipient afin que les fruits s'en imprègnent bien.

■ Verser le marc (les fruits doivent être complètement recouverts).

■ À l'aide de pique-fruits en plastique, maintenir les fruits sous le niveau de l'alcool.

■ Contrôler souvent la préparation et rajouter du marc en fonction de la quantité absorbée par les fruits. Les fruits secs peuvent être conservés de cette manière plus d'un an.

De nombreuses variétés de fruits peuvent être parfaitement conservées dans l'eau-de-vie. Mais en réalité il s'agit moins de conserver ces produits d'une valeur gastronomique souvent modeste que de les transformer en gourmandises dont vos hôtes se régaleront à l'issue d'un bon dîner.

Élixir de printemps

50 CL D'ALCOOL À 60°, 50 CL D'EAU-DE-VIE VIEILLE,

SUCRE, FRUITS FRAIS (PRINTANIERS ET AUTRES),

10 CLOUS DE GIROFLE, UN MORCEAU DE CANNELLE.

■ Choisir un récipient en verre, à large ouverture et fermeture hermétique. Y verser l'alcool additionné de quelques cuillerées de sucre et mettre à macérer les premiers fruits qui apparaissent au printemps ; pas nécessairement beaucoup, mais en quantité suffisante pour parfumer l'alcool.
■ Au fur et à mesure de l'apparition des autres fruits sur les étalages ou dans le jardin, les ajouter à la préparation (fraises, cerises, framboises, pêches, abricots, noix fraîches concassées, groseilles, groseilles à maquereau, figues, myrtille, prunes, poires, raisin, mûres, orange, etc.).
■ Ne pas oublier que les fruits doivent être soigneusement lavés et séchés mais non épluchés ; il faut ôter les noyaux.
■ Entre deux couches de fruits, il est indispensable d'intercaler un mince voile de sucre.
■ Au bout de plusieurs mois, en novembre ou en décembre, ajouter le marc de raisin et replacer le récipient, soigneusement fermé, dans un lieu sombre et chaud durant au moins deux mois.
■ Agiter le récipient de temps à autre avec délicatesse. Vous pourrez offrir cette liqueur avec ses fruits ou seule ; dans ce dernier cas, les fruits seront utilisés pour garnir des tartes, décorer une glace ou parfumer une macédoine.

Liqueur du palefrenier

75 CL DE BRANDY, 25 CL D'EAU, 250 G DE SUCRE,

500 G DE RAISINS SECS, 7 CM DE CANNELLE,

3 G DE CLOUS DE GIROFLE.

■ Laver les raisins secs à l'eau tiède et les mettre dans une casserole émaillée avec le sucre fondu dans l'eau chaude.
■ Ajouter la cannelle et les clous de girofle. Cuire durant dix minutes environ, sans cesser de tourner, afin que les raisins absorbent le liquide et gonflent.
■ Laisser tiédir (mais non refroidir) et verser les raisins et le liquide dans un récipient à fermeture hermétique et suffisamment grand pour contenir aussi le brandy.
■ Faire macérer à l'abri du soleil durant quinze jours au moins. Filtrer et mettre en bouteille avec les raisins débarrassés de tout résidu.
■ Laisser vieillir durant trois mois avant de consommer.

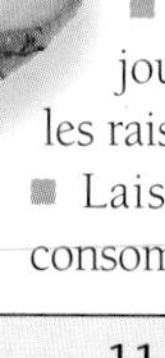

LIQUEURS AUX CENT HERBES

Nous ne pouvions manquer de faire figurer dans notre longue liste de recettes la composition de certaines liqueurs dites « aux cent herbes » bien que le nombre d'essences qui entrent dans leur préparation soit nettement moindre.
Les plantes employées dans ces recettes n'étant pas toutes disponibles au même moment de l'année, il est donc nécessaire, après les avoir cueillies, de les congeler ou, mieux, de les faire sécher, en attendant de les utiliser.

Amer d'herbes

2 L DE MARC DE RAISIN, 15 BAIES DE GENIÈVRE, 4 CYMES FLEURIES D'ABSINTHE, 3 PLANTS D'ASPÉRULE, 2 RACINES DE GENTIANE, 2 CÔNES VERTS DE PIN DE MONTAGNE, 2 PETITS RAMEAUX DE RUE, 1 GRAPPE DE FLEURS DE HOUBLON, 1 OMBELLE DE GRAINES DE CUMIN DES PRÉS, 5 CUILLERÉES DE SUCRE.

■ Cette liqueur – à boire comme il se doit en petites quantités – est le classique « tord-boyaux » qui aide à digérer même les repas les plus lourds.
■ Couper en petits morceaux les racines de gentiane que vous aurez trouvées dans le commerce.
■ Verser 1 l de marc sur les morceaux de racine et laisser macérer au soleil pendant une semaine.
■ Rajouter la rue, les cônes de pin verts coupés dans le sens de la longueur, la grappe de fleurs de houblon, les cymes fleuries d'absinthe, les baies de genièvre légèrement écrasées, les graines de cumin et l'aspérule.
■ Ajouter le sucre, le reste du marc, fermer le récipient et le laisser au soleil durant quinze jours, en l'agitant souvent.
■ Placer le récipient à la cave et laisser reposer quinze jours. Filtrer.
■ Laisser vieillir durant trois mois.

Cent herbes classique

1 L D'ALCOOL À 95°, 10 BAIES MÛRES DE LAURIER, 10 FEUILLES DE MENTHE, 10 FEUILLES DE BASILIC, 5 FEUILLES DE SAUGE, 3 PLANTS D'ASPÉRULE, 3 FEUILLES D'EUCALYPTUS, 3 POUSSES DE SAPIN ARGENTÉ, 1 CUILLERÉE DE BAIES DE GENIÈVRE, 1 PETITE CUILLER DE FEUILLES DE THÉ VERT, LE ZESTE D'1/2 CITRON, CLOUS DE GIROFLE, 1 MORCEAU DE CANNELLE, SUCRE EN POUDRE, EAU DISTILLÉE.

- Dans un mortier, écraser légèrement et par petites quantités tous les aromates.
- Les mettre dans un récipient et les recouvrir avec l'alcool.
- Laisser macérer à la cave durant dix jours, en agitant souvent le récipient.
- Laisser reposer le tout durant une semaine.
- Filtrer soigneusement, ajouter de l'eau distillée et du sucre selon le goût désiré et laisser vieillir au frais durant quatre mois avant de consommer.

La liqueur du garde-chasse contient toutes les saveurs et les odeurs de la forêt et donne de l'énergie.

Liqueur du garde-chasse

2 L DE MARC DE RAISIN, 20 BAIES DE GENIÈVRE, 5 PLANTS D'ASPÉRULE, 5 POUSSES DE MÉLÈZE, 3 POUSSES DE SAPIN ARGENTÉ, 3 POUSSES DE SAPIN DE NORVÈGE, 3 POUSSES DE PIN DE MONTAGNE, SUCRE EN POUDRE.

- Écraser légèrement les baies de genièvre.
- Les mettre dans un récipient avec toutes les pousses et les plants d'aspérule.
- Saupoudrer le tout de 5 cuillerées de sucre.
- Verser 1 l de marc, fermer soigneusement le récipient et le laisser au soleil durant quinze jours, en l'agitant souvent.
- Placer ensuite la préparation à la cave et laisser reposer durant deux semaines.
- Filtrer, ajouter le reste du marc et, si nécessaire, du sucre. Laisser vieillir trois mois avant de consommer.

Grande Chartreuse

40 CL D'ALCOOL À 95°, 6 FEUILLES DE MÉLISSE, 1 TIGE D'HYSOPE, RACINE D'ANGÉLIQUE, 1/2 PETITE CUILLER DE GRAINES DE CORIANDRE, 1/2 PETITE CUILLER DE GRAINES DE FENOUIL, 1 CLOU DE GIROFLE, CANNELLE, NOIX MUSCADE, 200 G DE SUCRE EN POUDRE, 30 CL D'EAU DISTILLÉE.

- Écraser au mortier les feuilles de mélisse, la tige d'hysope, un morceau de racine d'angélique, les graines de coriandre et de fenouil, la cannelle, un morceau de noix muscade et le clou de girofle.
- Faire macérer tous ces ingrédients dans l'alcool pendant deux semaines, en agitant souvent le récipient.
- Préparer à chaud un sirop avec le sucre et l'eau distillée, le laisser reposer durant deux jours puis l'ajouter à la préparation.
- Filtrer et laisser vieillir pendant deux mois. Servir frais.

Millefleurs

40 CL D'ALCOOL À 95°, 4 RAMEAUX DE MARJOLAINE, UNE POIGNÉE DE FLEURS DE LAVANDE ET DE FLEURS DE THYM, 4 FEUILLES DE DICTAME, 3 FEUILLES DE MENTHE, 1 PETITE C. DE GRAINES DE CORIANDRE, 3 CLOUS DE GIROFLE, NOIX MUSCADE, VANILLE, OSEILLE, 300 G DE SUCRE EN POUDRE, 60 CL D'EAU DISTILLÉE.

- Écraser au mortier la lavande, les fleurs de thym, les feuilles de menthe, deux pincées d'oseille, les clous de girofle, la marjolaine, un morceau de vanille, les feuilles de dictame, un morceau de noix muscade et les graines de coriandre.
- Mettre tous ces ingrédients à macérer dans l'alcool pendant dix jours, en agitant souvent le récipient.
- Filtrer et ajouter l'eau distillée dans laquelle vous aurez fait fondre le sucre à chaud.
- Fermer hermétiquement et laisser reposer en cave quatre mois avant de déguster.

Digestif aux herbes

2 L DE MARC DE RAISIN AU GOÛT SEC,

10 BAIES DE GENIÈVRE, 10 G DE RACINE

SÉCHÉE DE GENTIANE JAUNE,

1 TIGE D'ABSINTHE, 1 TIGE DE RUE,

5 FEUILLES DE MENTHE SAUVAGE,

5 G D'ÉCORCE DE CANNELLE,

40 G DE SUCRE, 5 CUILLERÉES DE MIEL.

■ Après avoir nettoyé soigneusement les baies, les feuilles et les racines, les mettre dans un récipient avec le marc, le miel, le sucre et la cannelle.

■ Fermer hermétiquement et laisser macérer la préparation en retournant le récipient tous les quatre jours.

■ Au bout d'une quarantaine de jours, filtrer et mettre en bouteille. Bien que la quantité d'herbes laisse supposer une liqueur au goût très fort, vous obtiendrez un mélange d'agréables saveurs aux propriétés digestives certaines.

Liqueur d'herbes au miel

80 CL D'ALCOOL, 80 CL D'EAU DISTILLÉE, 6 FEUILLES

DE BASILIC, 6 FEUILLES D'HERBE DE LA SAINT-JEAN (ARMOISE

COMMUNE), 6 FEUILLES DE SAUGE, 6 FEUILLES DE MENTHE,

6 FEUILLES DE THÉ, 6 FEUILLES DE CITRONNIER, 6 FEUILLES

DE LAURIER, 6 FLEURS DE CAMOMILLE, 6 BAIES DE GENIÈVRE,

3 FEUILLES DE ROMARIN, 2 CLOUS DE GIROFLE, 3 G DE SAFRAN

ET DE CANNELLE, 700 G DE SUCRE, 120 G DE MIEL.

■ Mettre à infuser les aromates et les épices dans l'alcool durant six jours, en agitant doucement le récipient deux fois par jour.

■ Préparer un sirop avec l'eau distillée et le sucre. Y incorporer le miel à froid et ajouter le tout à l'infusion. Filtrer.

■ Vous pouvez déguster immédiatement cette liqueur particulièrement tonique.

AMERS ET DIGESTIFS

Quinquina

50 CL D'ALCOOL À 95°,

50 CL D'EAU DISTILLÉE,

500 G DE SUCRE EN POUDRE,

40 G D'ÉCORCE DE QUINQUINA,

4 G DE ZESTE D'ORANGE AMÈRE.

- Dans un récipient à fermeture hermétique, mettre environ 15 cl d'alcool dilué dans 5 cl d'eau distillée.
- Écraser au mortier le quinquina et ôter toute peau blanche du zeste d'orange.
- Ajouter le quinquina et le zeste à la solution d'alcool et d'eau. Fermer soigneusement et laisser macérer deux semaines.
- Filtrer en versant la préparation dans un récipient plus grand. Ajouter le reste de l' alcool et un sirop préparé avec le sucre et le reste de l'eau distillée.
- Mélanger, fermer et laisser reposer.
- Au bout de quinze jours environ, filtrer et mettre en bouteille. Boucher et cacheter à la cire.
- Laisser vieillir durant trois mois et servir ce quinquina « amoureusement ».

Génépi

30 CL D'ALCOOL À 95°, 40 CL D'EAU DISTILLÉE, 400 G DE SUCRE, 10 G DE GÉNÉPI DES ALPES, 5 G DE MENTHE POIVRÉE, 5 G D'ANIS, 5 G D'HYSOPE, 4 CLOUS DE GIROFLE, 3 G D'ARMOISE ABSINTHE, 0,5 G DE NOIX MUSCADE.

Cette liqueur est comme une bouffée d'air de haute montagne. La recette peut être légèrement modifiée en ajoutant quelques grammes d'angélique ou un petit zeste de citron.

- Dans un récipient à fermeture hermétique, mettre à macérer les aromates dans l'alcool et laisser reposer durant quinze jours, en remuant de temps à autre.
- Filtrer et ajouter l'eau distillée et le sucre.
- Mélanger et laisser reposer une journée avant de mettre en bouteille. Boucher et cacheter à la cire.
- Attendre au moins six mois pour goûter pleinement la saveur de la liqueur.

Excellent digestif, le génépi possède aussi une propriété carminative.

Amer Montchamp

40 CL D'ALCOOL À 95°, 28 CL D'EAU DISTILLÉE, 320 G DE SUCRE, 4 G D'ABSINTHE, 3 G D'ACORE ODORANT, 3 G DE CENTAURÉE, 2 G DE RACINE D'ANGÉLIQUE, 2 G D'AUNÉE OFFICINALE, 1 G D'ÉCORCE DE CANNELLE.

- Mettre à macérer tous les ingrédients durant douze jours dans un récipient hermétiquement fermé, en remuant celui-ci une fois par jour.
- Ajouter le sucre fondu à chaud dans l'eau distillée.
- Laisser reposer une journée, filtrer et mettre en bouteille.
- Pour en apprécier pleinement la saveur, l'amer Montchamp doit reposer au moins six mois. Il est donc recommandé de fermer le flacon définitif avec un bouchon de liège cacheté à la cire.

Cet amer peut être servi en apéritif ou en digestif.

Amer allemand

35 CL D'ALCOOL À 95°, 35 CL D'EAU DISTILLÉE, 350 G DE SUCRE EN POUDRE, 15 G DE ZESTE D'ORANGE AMÈRE, 10 G DE MENTHE, 5 G DE VALÉRIANE, 5 G D'ABSINTHE, 5 G DE GINGEMBRE, 5 G DE CENTAURÉE.

- Faire macérer les aromates dans l'alcool durant quinze jours, récipient soigneusement fermé.
- Verser l'eau distillée très chaude sur le zeste d'orange coupé en petits morceaux. Laisser tremper pendant huit heures. Filtrer et ajouter le sucre. Faire un sirop avec le tout.
- Ajouter ce sirop une fois refroidi à la préparation d'alcool et d'aromates. Mélanger et filtrer.
- Laisser reposer une journée et mettre en bouteille.
- La laisser vieillir au moins trois mois avant de la déguster.

Si vous avez bien fait les choses, vous obtiendrez une excellente liqueur digestive qui fera aussi office d'apéritif.

Amer à l'artichaut

45 CL DE VIN BLANC SEC, 45 CL DE BRANDY, 20 FEUILLES D'ARTICHAUT, 1 CAPITULE FLEURI D'ACHILLÉE, 2 CLOUS DE GIROFLE.

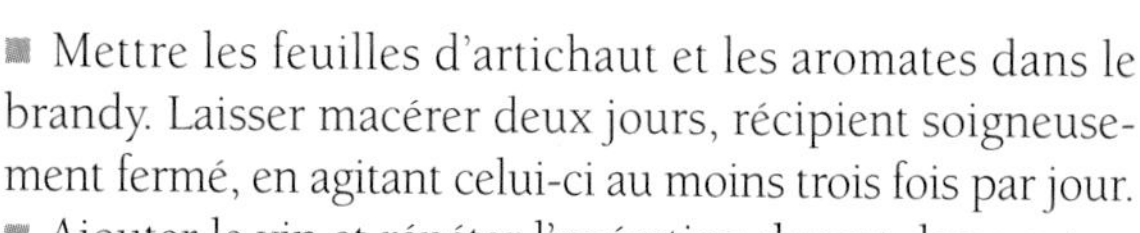

- Mettre les feuilles d'artichaut et les aromates dans le brandy. Laisser macérer deux jours, récipient soigneusement fermé, en agitant celui-ci au moins trois fois par jour.
- Ajouter le vin et répéter l'opération durant deux autres jours.
- Filtrer et mettre en bouteille.
- Attendre au moins quatre mois avant de déguster cet amer digestif qui possède toutes les vertus de l'artichaut, plante contenant un principe amer, la cynarine, qui exerce une action bienfaisante sur le foie et les reins.

GOURMANDISES ET DÉLICES

Crème de cacao et de vanille

25 CL D'ALCOOL À 95°, 50 CL D'EAU DISTILLÉE, 500 G DE SUCRE, 100 G DE CACAO EN POUDRE, 0,5 G DE VANILLE EN POUDRE.

■ Chauffer l'eau distillée sans la faire bouillir et lui ajouter progressivement le cacao en poudre, en mélangeant soigneusement avec une cuiller en bois afin d'éviter la formation de grumeaux.
■ Ajouter peu à peu le sucre jusqu'à l'obtention d'une crème parfaitement homogène. Laisser refroidir.
■ Délayer la vanille dans l'alcool puis l'ajouter à la crème.
■ La liqueur est prête à être consommée, soit pure en petites quantités, soit allongée de lait. Dans un cas comme dans l'autre, c'est un excellent fortifiant pour les sportifs comme pour les convalescents.

Curaçao

40 CL D'ALCOOL À 95°, 30 CL D'EAU DISTILLÉE, 280 G DE SUCRE, 25 G DE ZESTE D'ORANGE AMÈRE, 1 G D'ÉCORCE DE CANNELLE, 1 G DE VANILLE, 1 CLOU DE GIROFLE.

■ Couper le zeste d'orange en petits morceaux et les mouiller avec l'eau distillée préalablement chauffée.
■ Laisser reposer cette eau d'orange durant une journée, puis filtrer et conserver le liquide seul dans un récipient fermé.
■ Faire macérer le zeste d'orange récupéré et les autres aromates dans l'alcool durant quinze jours, en agitant deux fois par jour.
■ Préparer un sirop en faisant fondre à chaud le sucre dans l'eau d'orange filtrée. Ajouter ce sirop à la préparation.
■ Laisser reposer une journée, filtrer et mettre en bouteille. Attendre un mois ou deux avant de servir.

Cocktail au tilleul

15 CL D'EAU-DE-VIE DE GENIÈVRE, OU DE GIN,

10 G DE FLEURS DE TILLEUL, 50 CL D'EAU DISTILLÉE,

6 G DE SUCRE.

■ Faire bouillir l'eau distillée et y laisser infuser les fleurs de tilleul pendant dix minutes.
■ Filtrer et, dans le liquide encore chaud, verser le sucre et l'alcool. Mélanger.
Ce cocktail aussi agréable qu'insolite sera servi dans une large coupe et vous pourrez l'agrémenter d'un zeste de citron et d'une feuille de menthe fraîche.

Élixir de sorcière

1 L D'EAU-DE-VIE, 500 G DE SUCRE, 1 GOUSSE DE

VANILLE, 15 G DE RACINE DE MANDRAGORE,

1 POIGNÉE DE GRAINES DE SÉSAME.

■ Mettre dans un récipient tous les ingrédients et l'eau-de-vie. Fermer hermétiquement et laisser macérer, à l'abri du soleil, durant deux semaines environ, en agitant chaque jour le récipient.
■ Laisser reposer totalement durant un mois au moins.
■ Filtrer avec soin et transvaser le liquide dans une bouteille de verre sombre.
■ Encore une ou deux semaines de patience et cet élixir sera prêt à être servi dans de petits verres... ensorcelés.

Eau-de-vie au coing

1 L DE MARC DE RAISIN,

LA PEAU D'1 COING.

■ Laver avec soin le coing, l'éplucher et faire macérer sa peau dans le marc durant une trentaine de jours, à l'abri du soleil.
■ Filtrer et mettre en bouteille.
■ Laisser vieillir quatre à cinq mois avant de consommer cette eau-de-vie à la saveur bien particulière.

Liqueur aux œufs

1 L DE VIN BLANC, 100 G DE SUCRE,

10 ŒUFS, 12 CITRONS.

■ Laver soigneusement à l'eau claire les œufs dans leur coquille et les laisser sécher.
■ Les mettre dans un bocal en verre d'une capacité de 2 l et verser sur eux autant de jus de citron qu'il en faut pour les recouvrir totalement.
■ Fermer hermétiquement le bocal et laisser macérer jusqu'à ce que les œufs soient totalement dissous, coquilles comprises.
■ Verser alors le vin blanc et le sucre, mélanger soigneusement, filtrer et mettre en bouteille. Laisser reposer dans un lieu frais au moins trente jours.

Liqueur à la cannelle

30 CL D'ALCOOL À 95°, 500 G DE SUCRE,

30 CL D'EAU DISTILLÉE, 20 G D'ÉCORCE

DE CANNELLE, 1 GOUSSE DE VANILLE.

■ Après avoir émietté au mortier la cannelle et la vanille, les mettre à macérer dans un petit récipient avec 20 cl d'alcool durant une dizaine de jours, en remuant une fois par jour.

■ Au bout de cette période, préparer à feu très doux un sirop avec l'eau distillée et le sucre. Une fois refroidi, le conserver à part dans un flacon à fermeture hermétique.

■ Filtrer l'alcool dans lequel ont macéré la cannelle et la vanille et le verser dans le flacon contenant le sirop. Ajouter les 10 cl d'alcool restant.

■ Mélanger, laisser reposer deux jours, filtrer et mettre en bouteille.

Liqueur de chocolat

20 CL D'ALCOOL,

100 G DE CHOCOLAT AU LAIT,

500 G DE SUCRE EN POUDRE,

50 CL DE LAIT, 25 CL D'EAU

DISTILLÉE, 1 GOUSSE DE VANILLE,

3 G DE CANNELLE.

■ Râper le chocolat et le faire fondre à feu très doux dans 10 cl d'eau distillée. Porter à ébullition et, en remuant, cuire durant quinze minutes.

■ Faire bouillir le lait avec le reste de l'eau distillée, le sucre, la vanille et la cannelle, puis faire cuire à feu doux trente minutes.

■ Ajouter le chocolat et poursuivre la cuisson encore quinze minutes, récipient couvert.

■ Quand la préparation sera refroidie, ajouter l'alcool puis verser la liqueur dans une bouteille à fermeture hermétique.

Par les froides journées d'hiver, vous pourrez servir cette liqueur bouillante (chauffée au bain-marie) et accompagnée de châtaignes grillées.

Ratafia de basilic

5 CL D'ALCOOL À 95°, 1 L DE VIN

BLANC SEC, 40 G DE FEUILLES FRAÎCHES

DE BASILIC, 20 G DE ZESTE DE CITRON.

■ Faire macérer le basilic et le zeste de citron dans l'alcool durant six jours, en remuant souvent la préparation.
■ Filtrer et ajouter le vin blanc, qui doit être d'excellente qualité.
■ Filtrer de nouveau et consommer frais. Cette liqueur aux parfums d'herbes aromatiques, qui par ailleurs apaise les maux d'estomac et facilite les digestions difficiles, est un délice. En prendre deux petits verres par jour après chaque repas.

Sabayon

8 CL D'ALCOOL À 95°, 15 CL DE MARSALA,

45 CL DE LAIT ENTIER, 400 G DE SUCRE,

4 JAUNES D'ŒUF, 1 GOUSSE DE VANILLE.

■ Battre au fouet dans une terrine les jaunes d'œuf et 200 g de sucre en poudre.
■ Faire bouillir à feu doux pendant quinze minutes le lait, la vanille et le reste du sucre.
■ Quand le lait est froid, enlever la vanille et ajouter le lait aux œufs.
■ Mélanger parfaitement et ajouter le marsala et l'alcool.
■ Mettre en bouteille et consommer immédiatement en agitant le flacon avant de servir.

« Tutti frutti »

80 CL D'ALCOOL, 80 CL DE MARC

DE RAISIN, 500 G DE SUCRE EN POUDRE,

2 PÊCHES, 2 POMMES, 2 POIRES, 1 BANANE,

2 NOYAUX DE PÊCHE, UNE POIGNÉE DE

FRAISES ET QUELQUES FEUILLES DE

FRAISIER, UNE POIGNÉE DE GRIOTTES,

DE CERISES ET DE BIGARREAUX AVEC

NOYAUX ET FEUILLES, UNE POIGNÉE

DE FEUILLES DE PÊCHER.

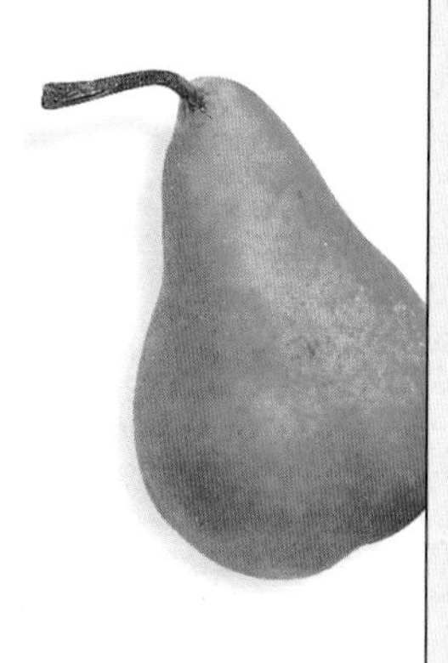

■ Laver et sécher les fruits. Couper en petits morceaux les pêches, les pommes, les poires avec leur peau, ainsi que la banane.
■ Mettre le tout à macérer durant quarante jours avec l'alcool et le marc, dans lesquels on aura fait fondre le sucre. Fermer hermétiquement le récipient.
■ Passer les fruits et la liqueur, puis filtrer celle-ci au moins deux fois.
■ Laisser reposer durant quarante jours dans un lieu sombre avant de servir.

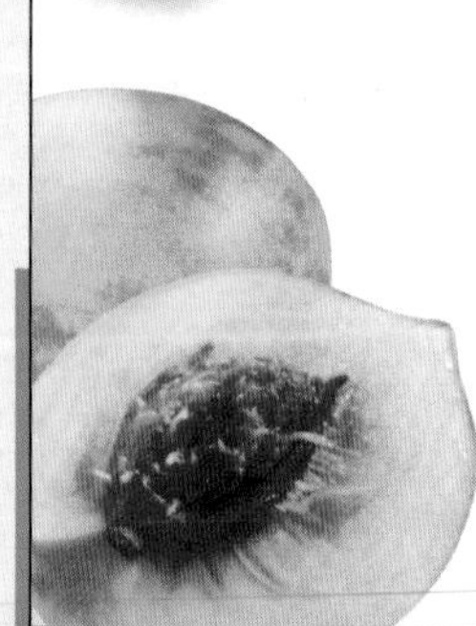